黃庭堅諸上座帖

中華經典碑帖彩色放大本 三〇

中華書局

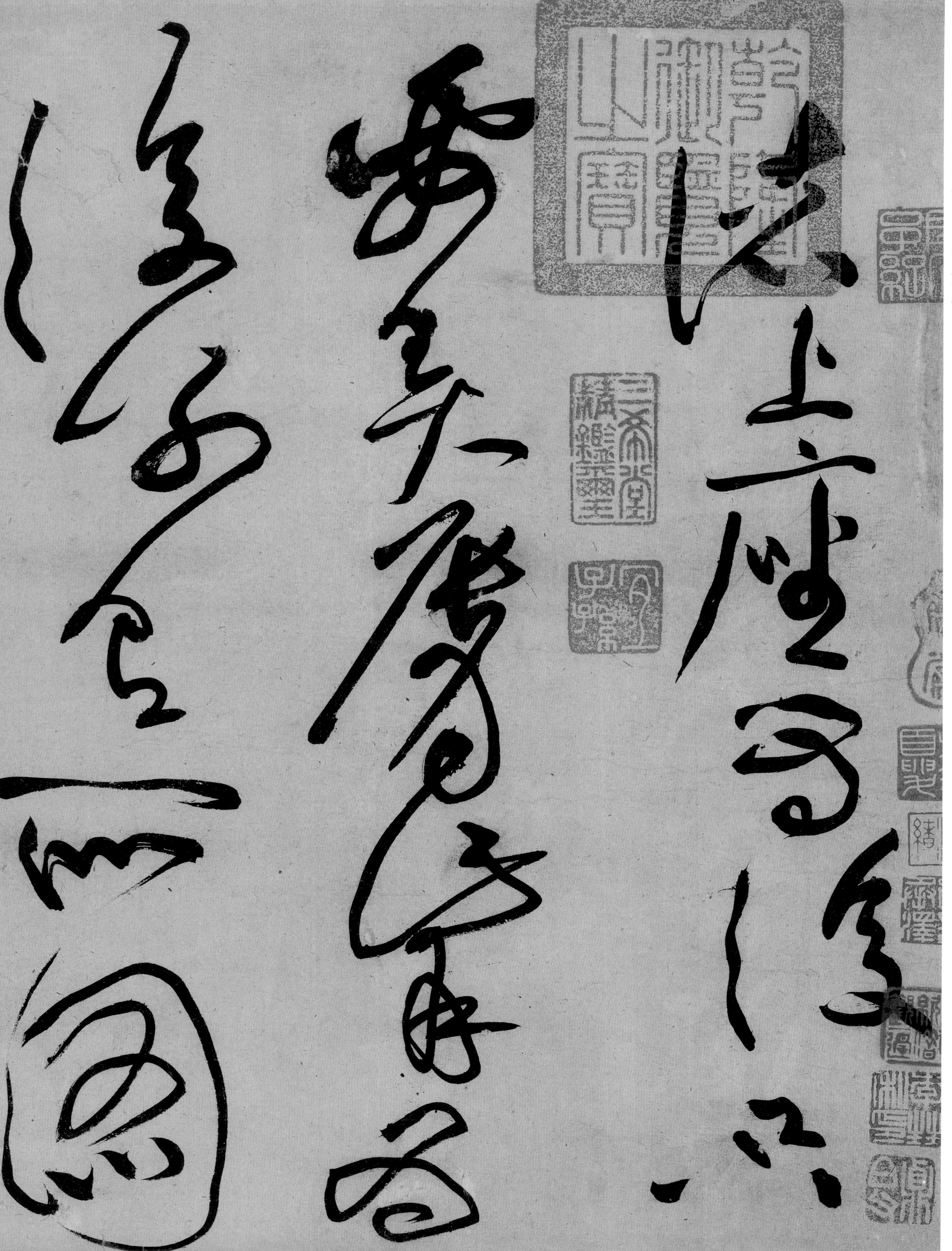

諸上座爲復只〳要弄唇嘴，爲〳復別有所圖，〳

恐伊執著。且／執著什麼？爲／

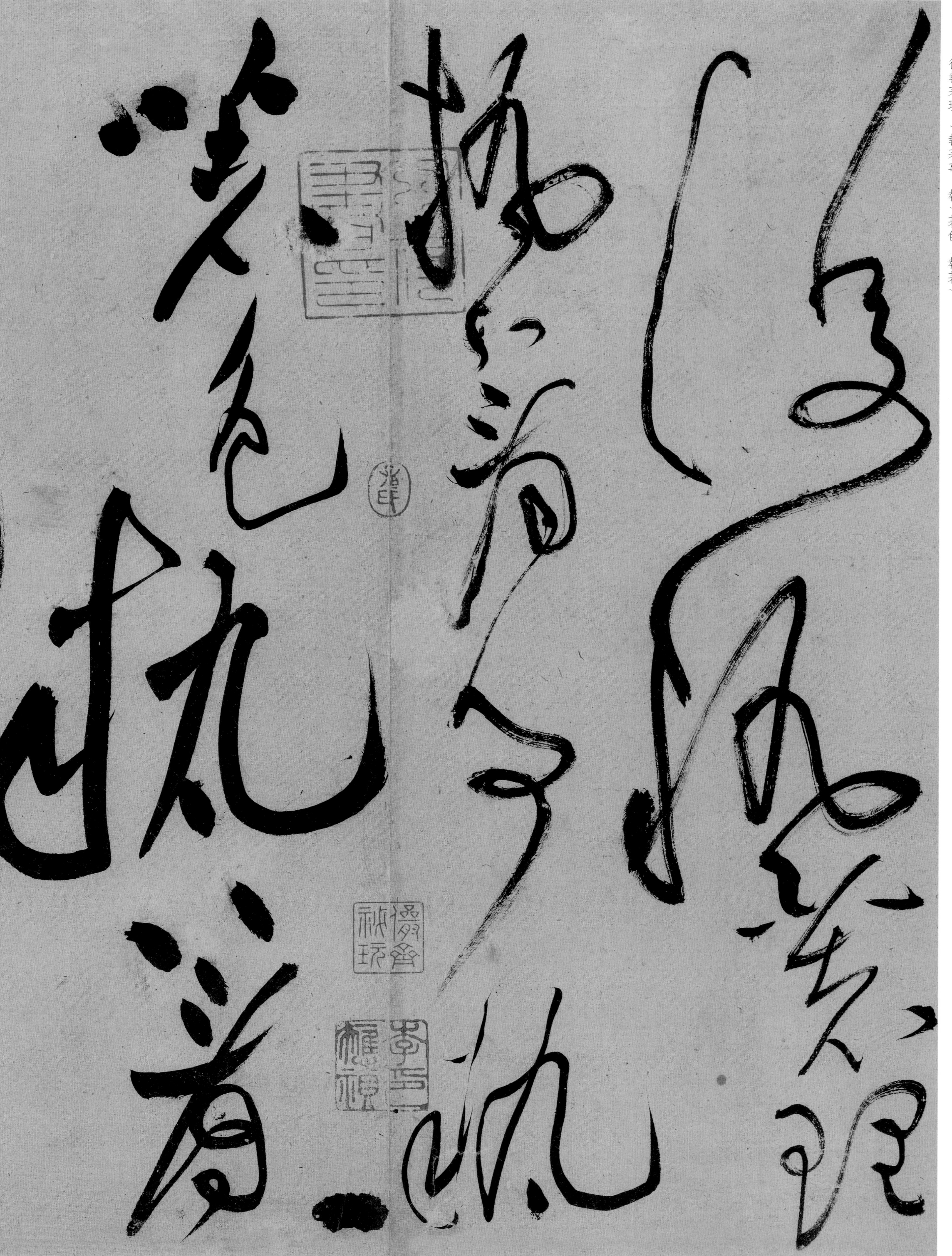

復執著理，／執著事，執／著色，執著／

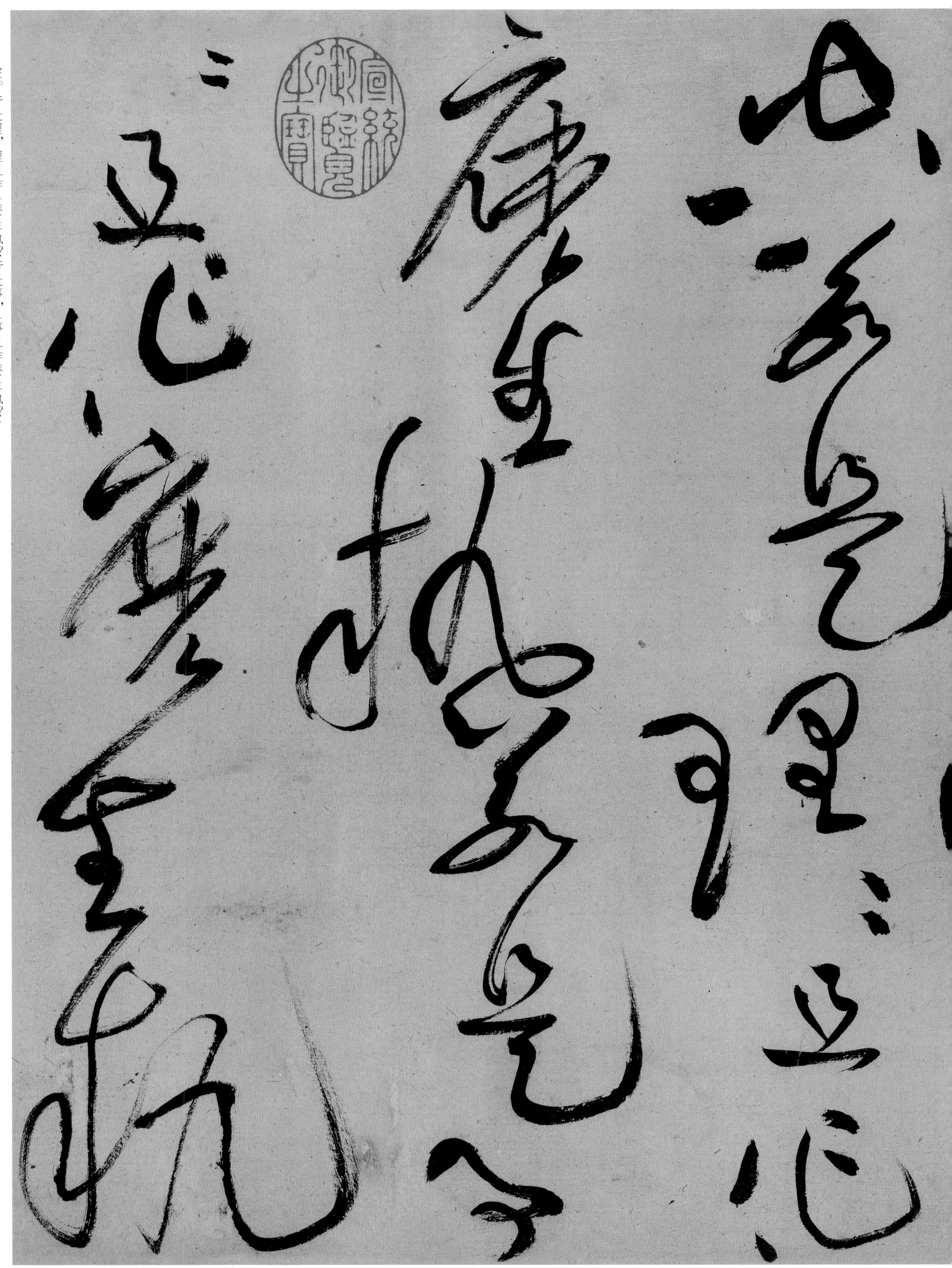

空。若是理，理且作／麽生執？若是事，／事且作麽生執？／

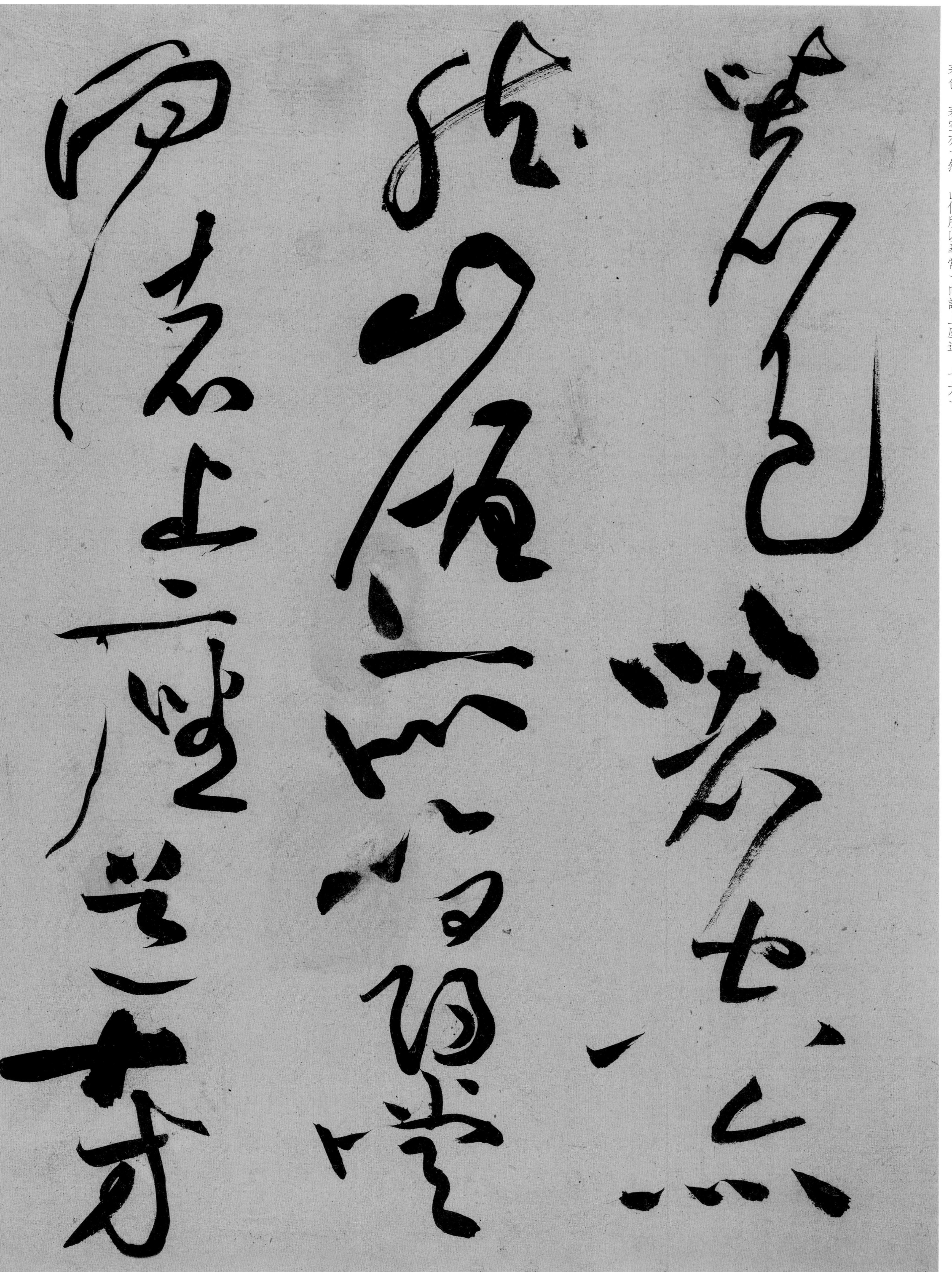
著色、著空亦〈然。山僧所以尋常〈向諸上座道，十方〈

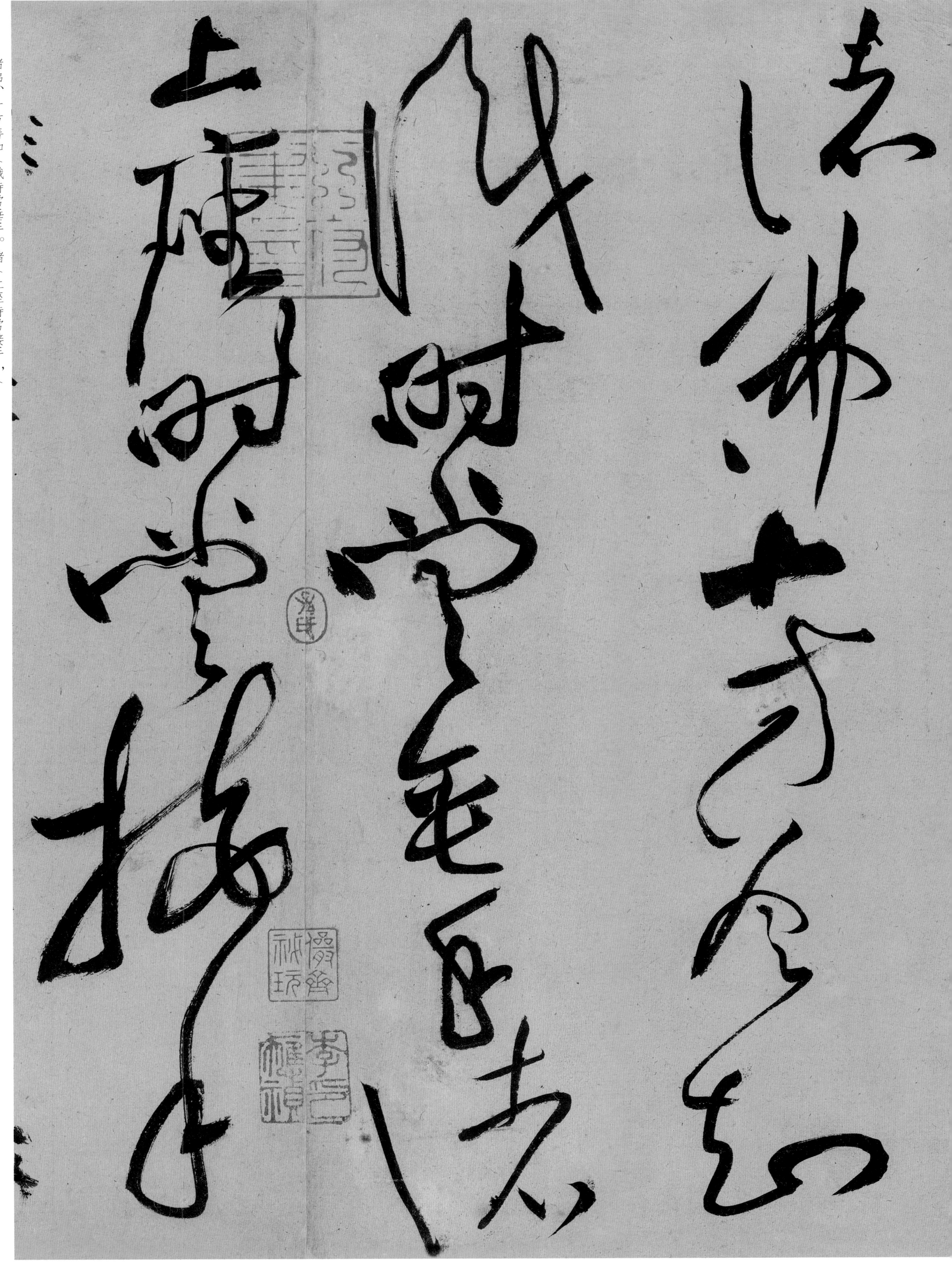

諸佛、十方善知／識時常垂手。諸／上座時常接手，／

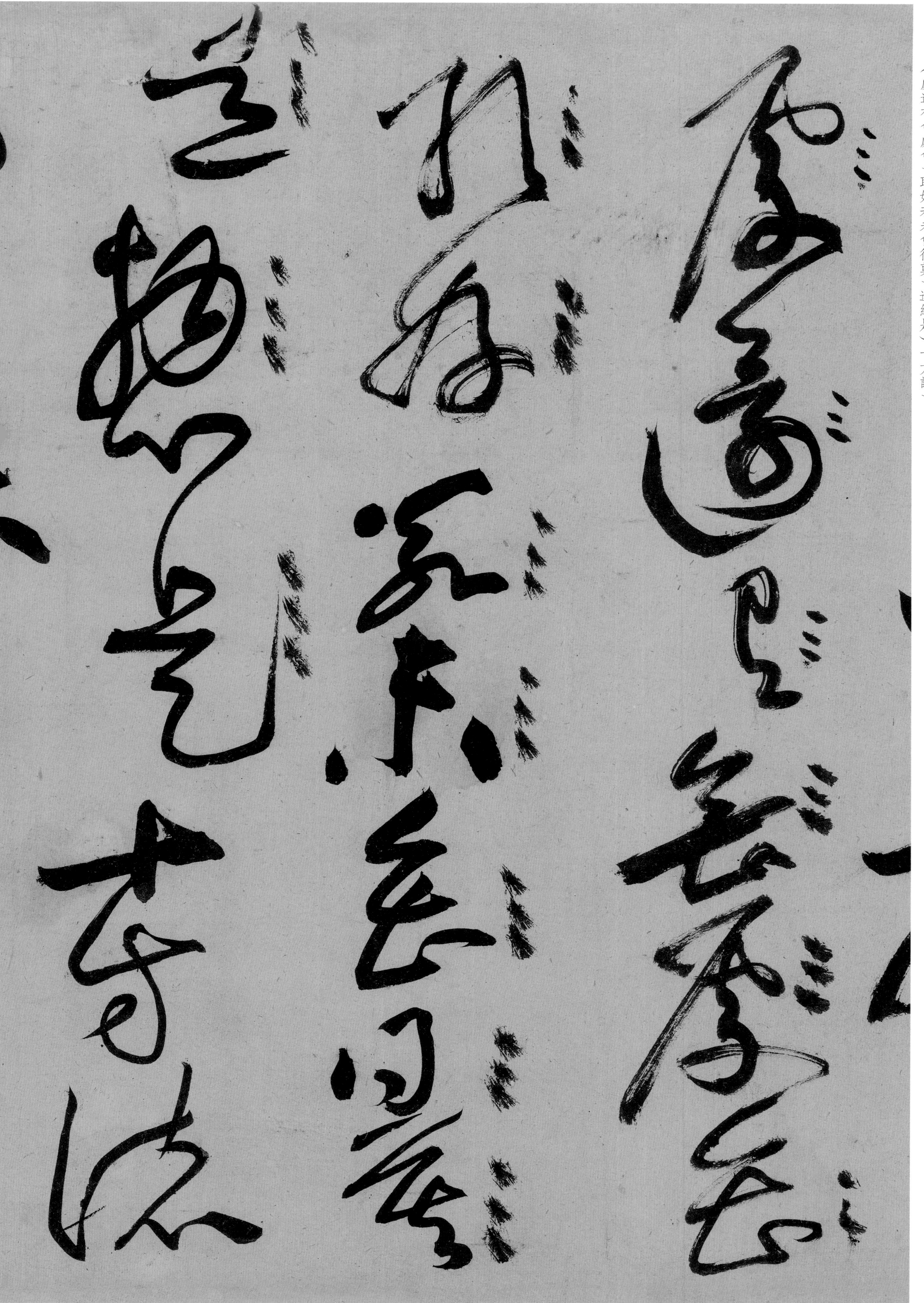

（處還有會處會/取好若未會得莫/道總是）十方諸/

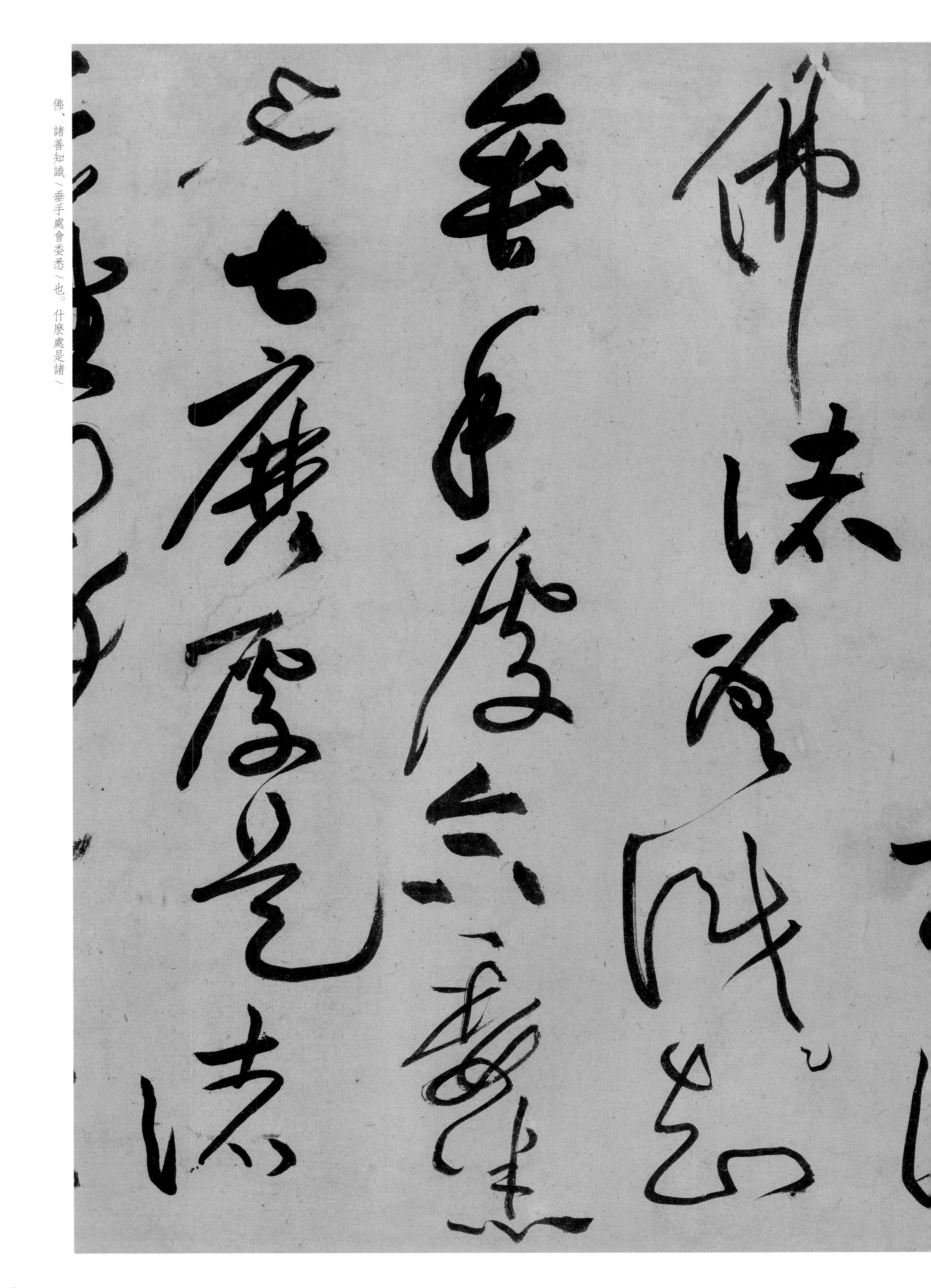

佛、諸善知識／垂手處會委悉／也。什麼處是諸／

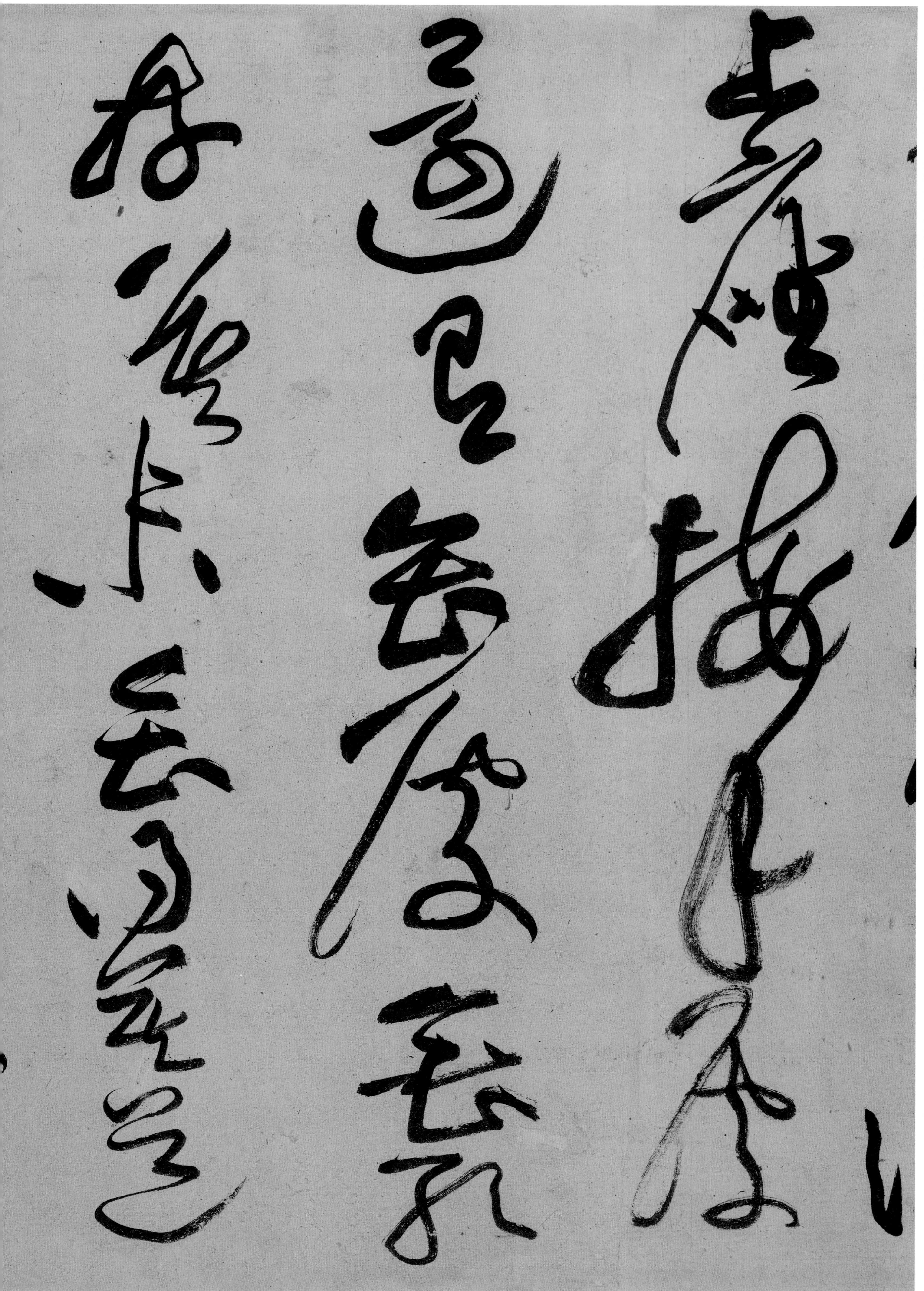

上座接手處，／還有會處會取／好。莫未會得，莫道／

總是都來圓／取。諸上座傍家／行脚，也須審／

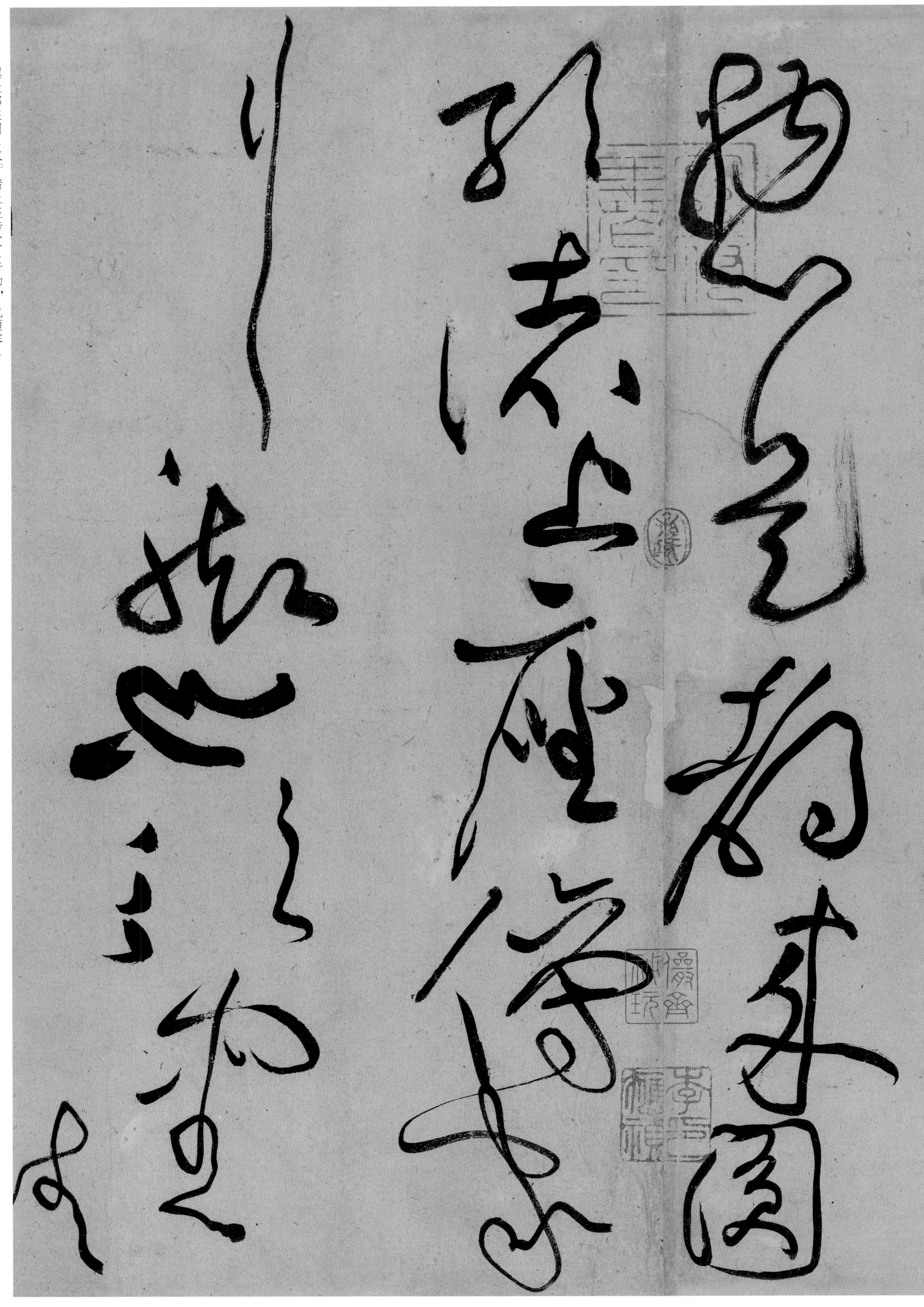

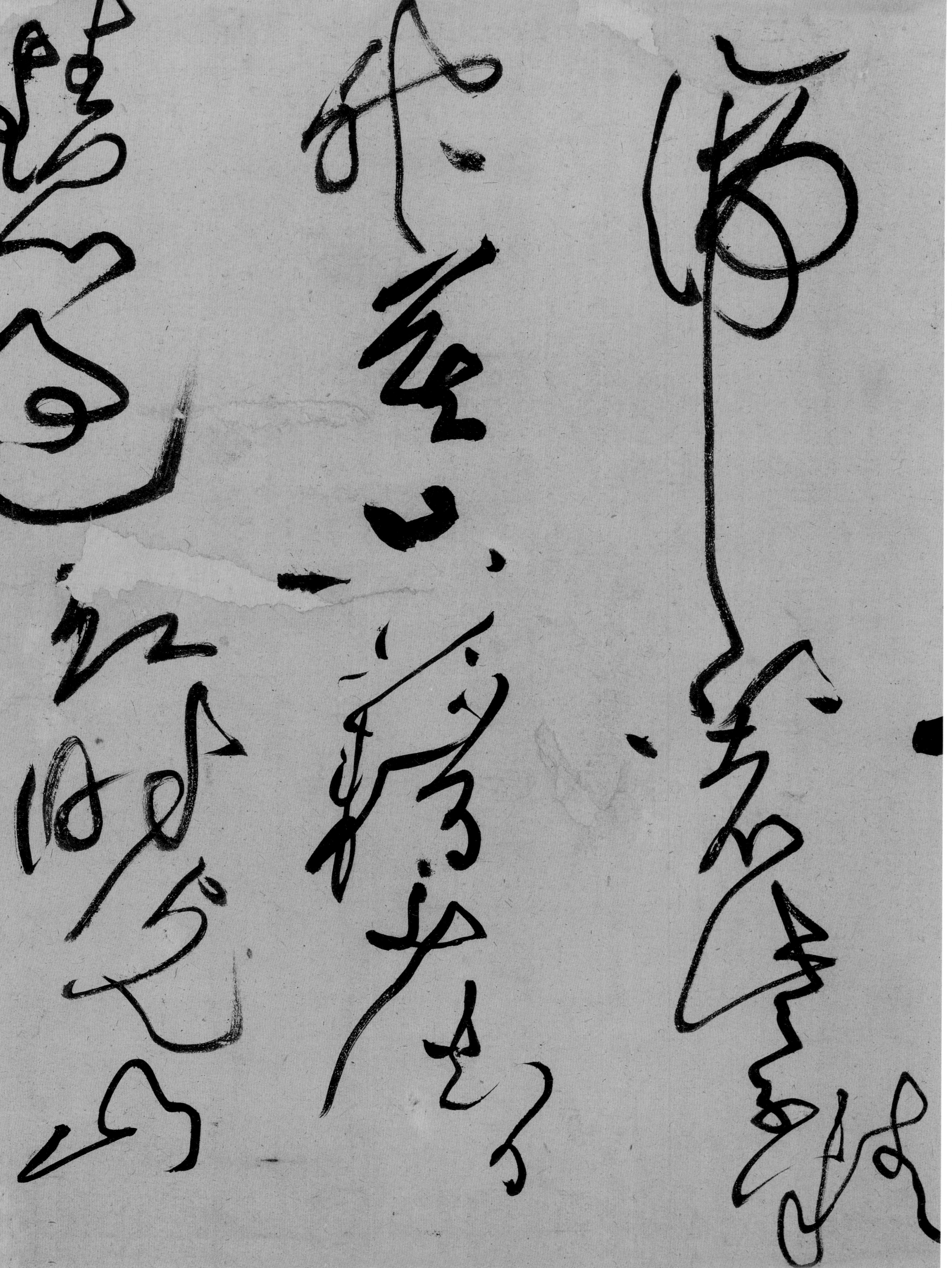

諦，著些子精／神，莫只藉少智／慧，過却時光，山／

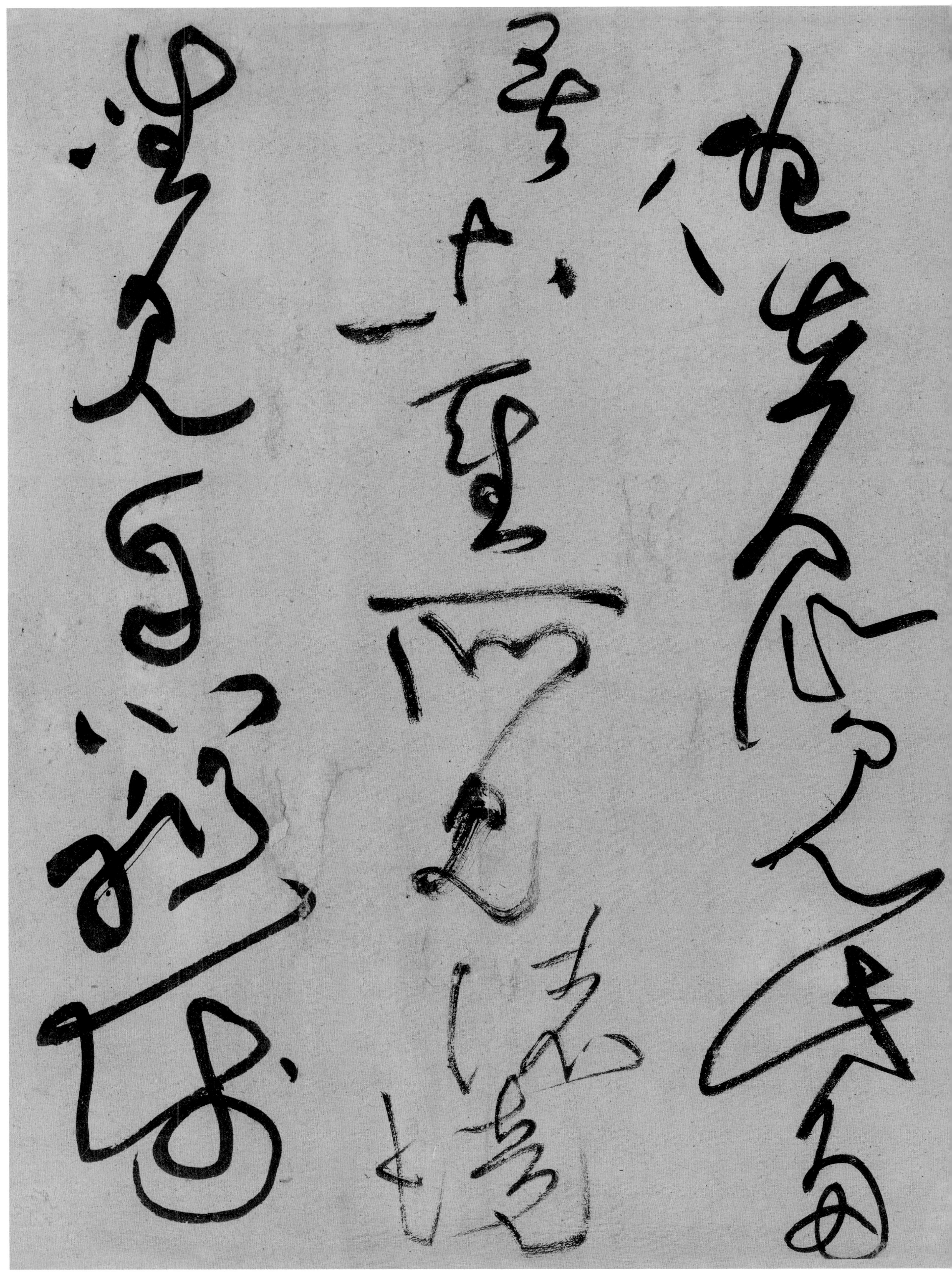

僧在衆見此多／矣。古聖所見諸境，／唯見自心。祖師／

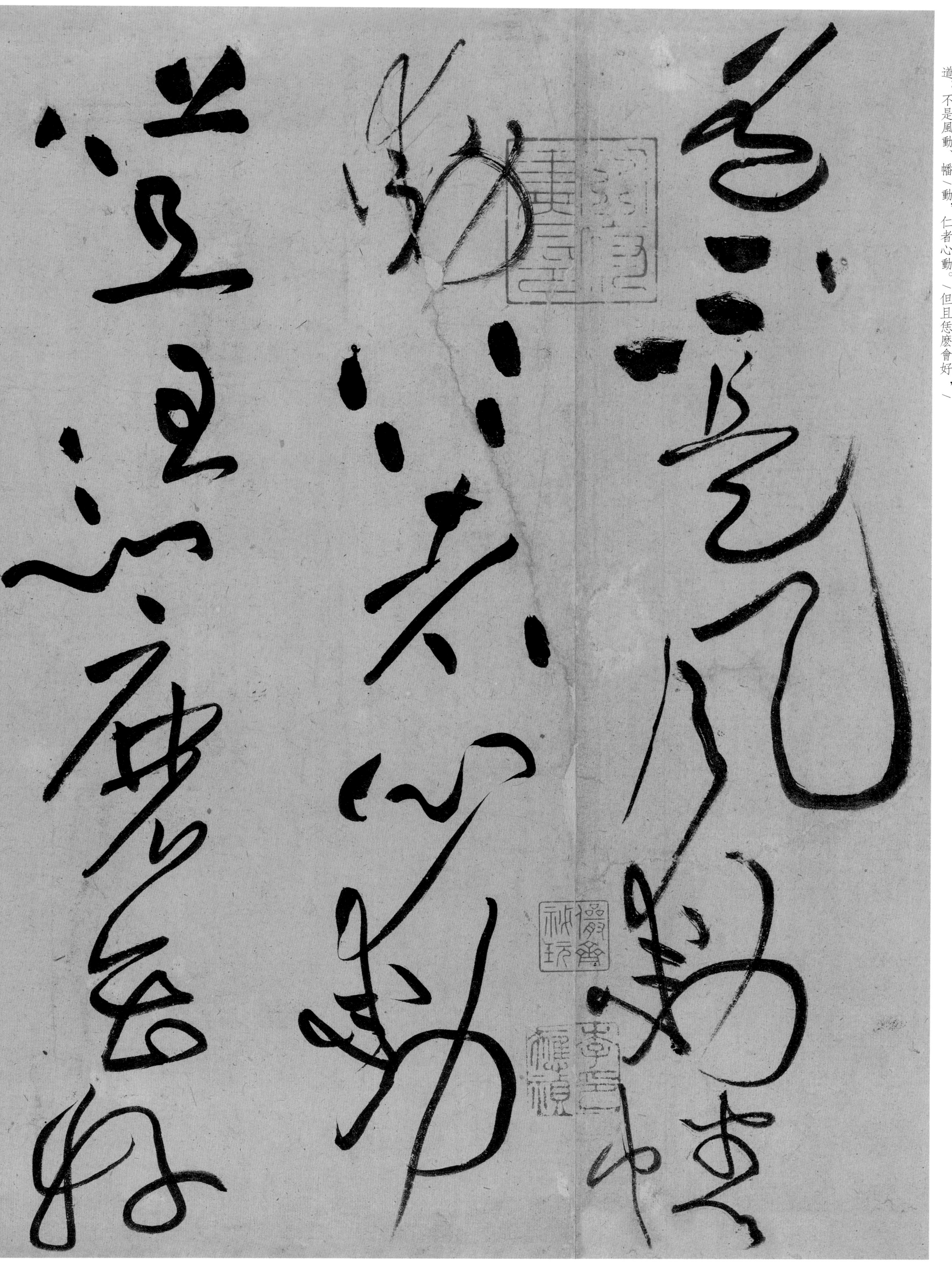

道：不是風動、幡／動，仁者心動。／但且恁麼會好，／

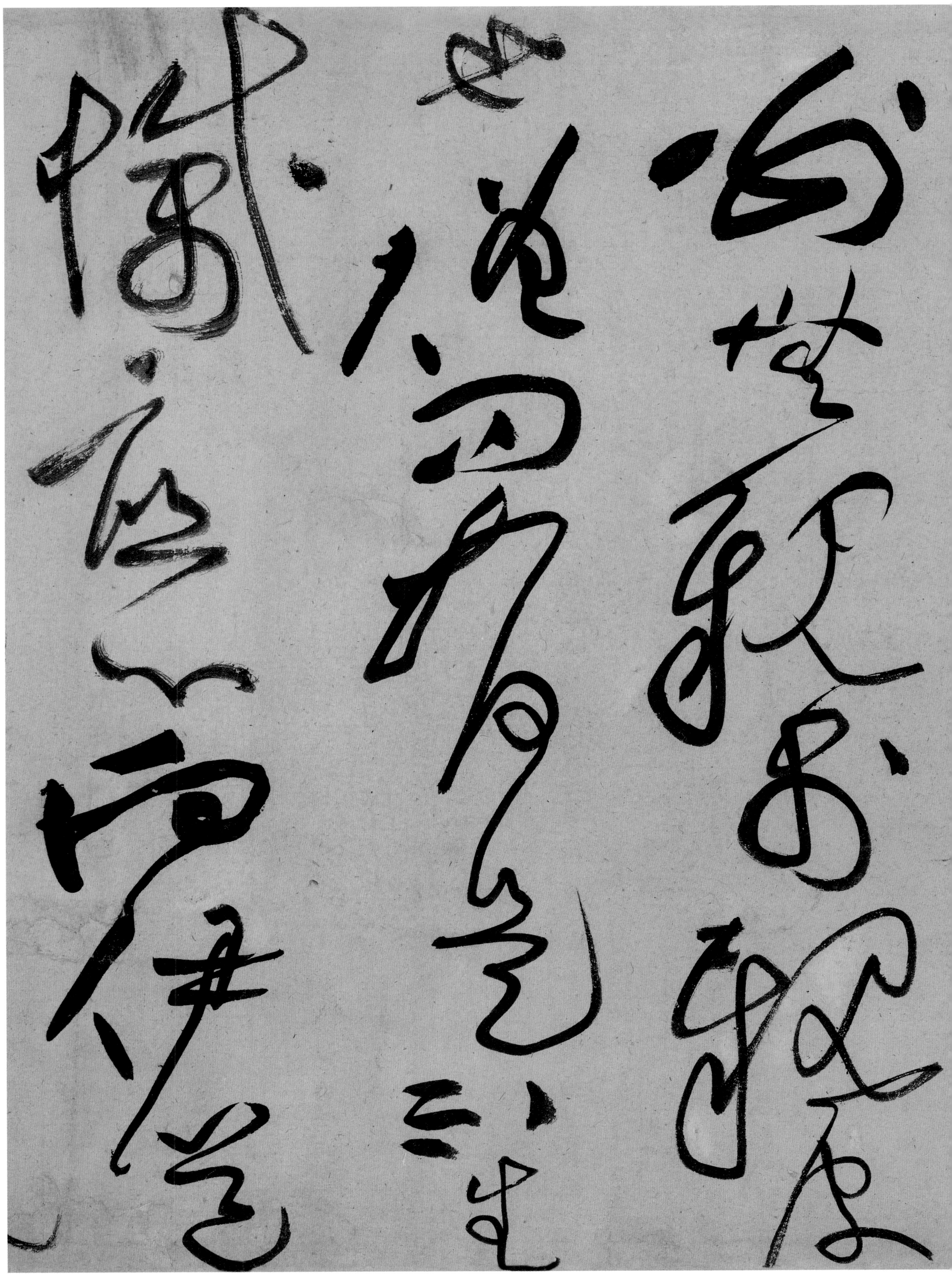

別無親於親處/也。僧問：如何是不生/滅底心？向伊道：/

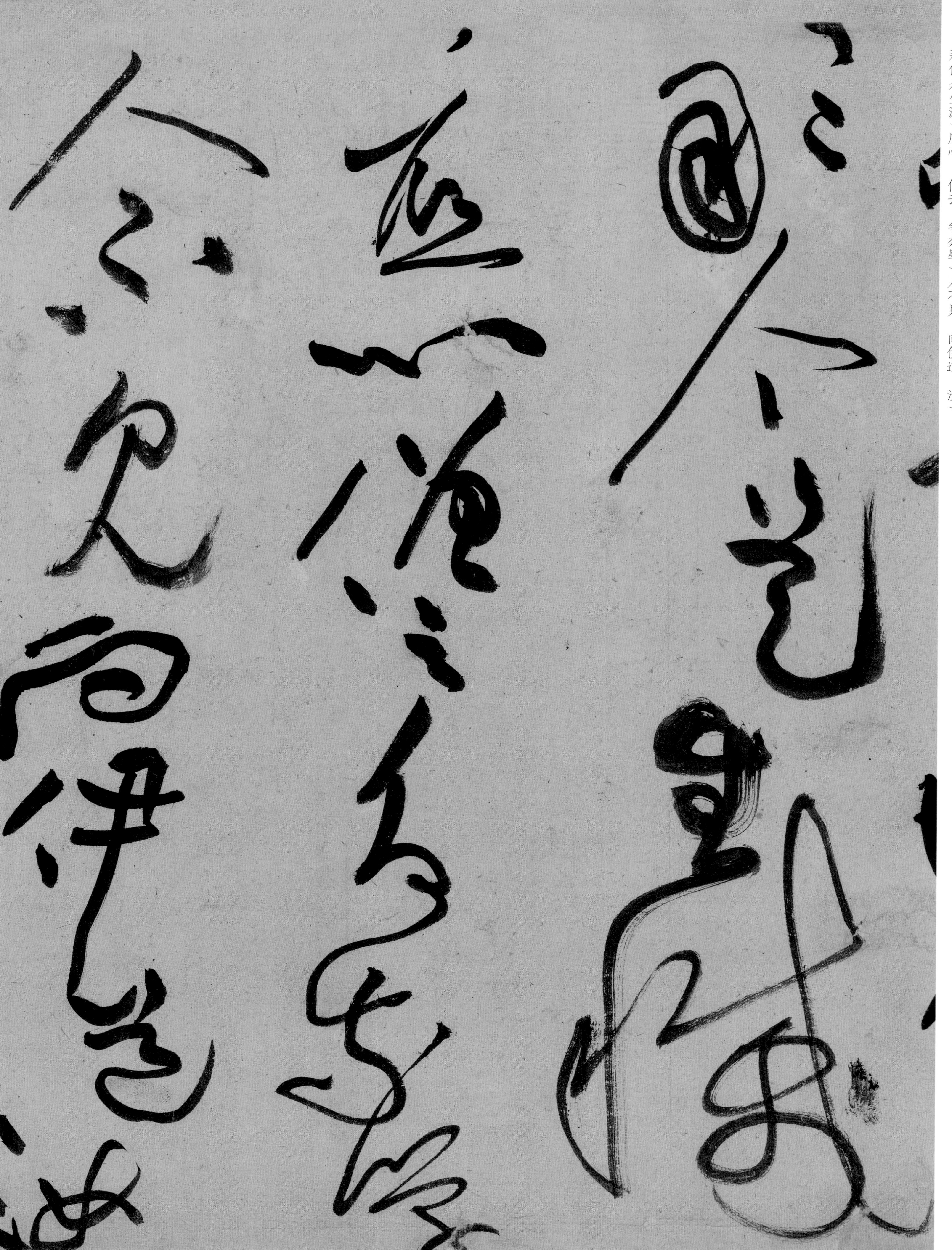

那個是生滅〻底心？僧云：争奈學〻人不見。向伊道：汝〻

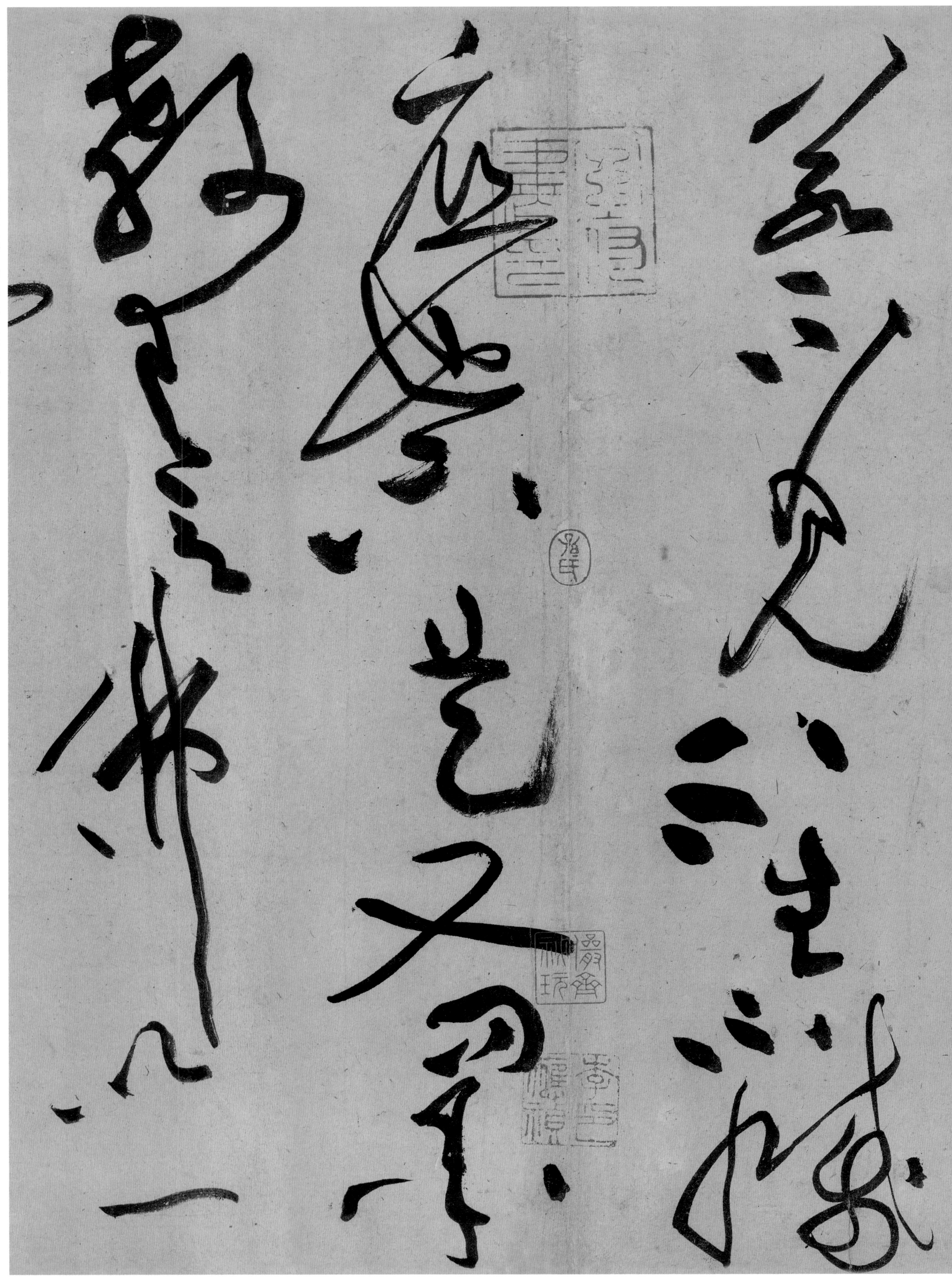

若不見，不生不滅／底也不是。又問：承／教有言，佛以一／

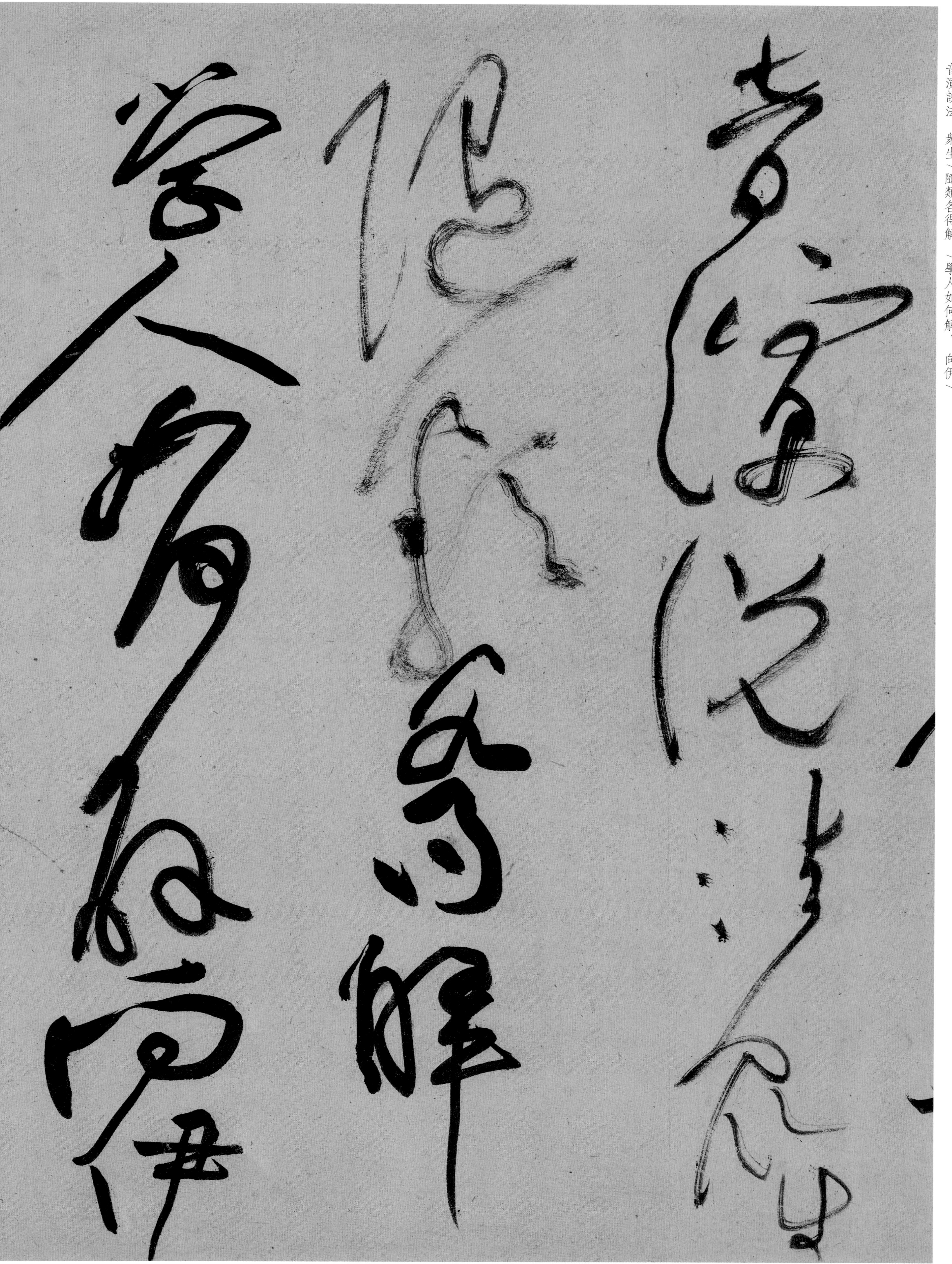

音演説法，衆生㇐隨類各得解，㇐學人如何解？向伊㇐

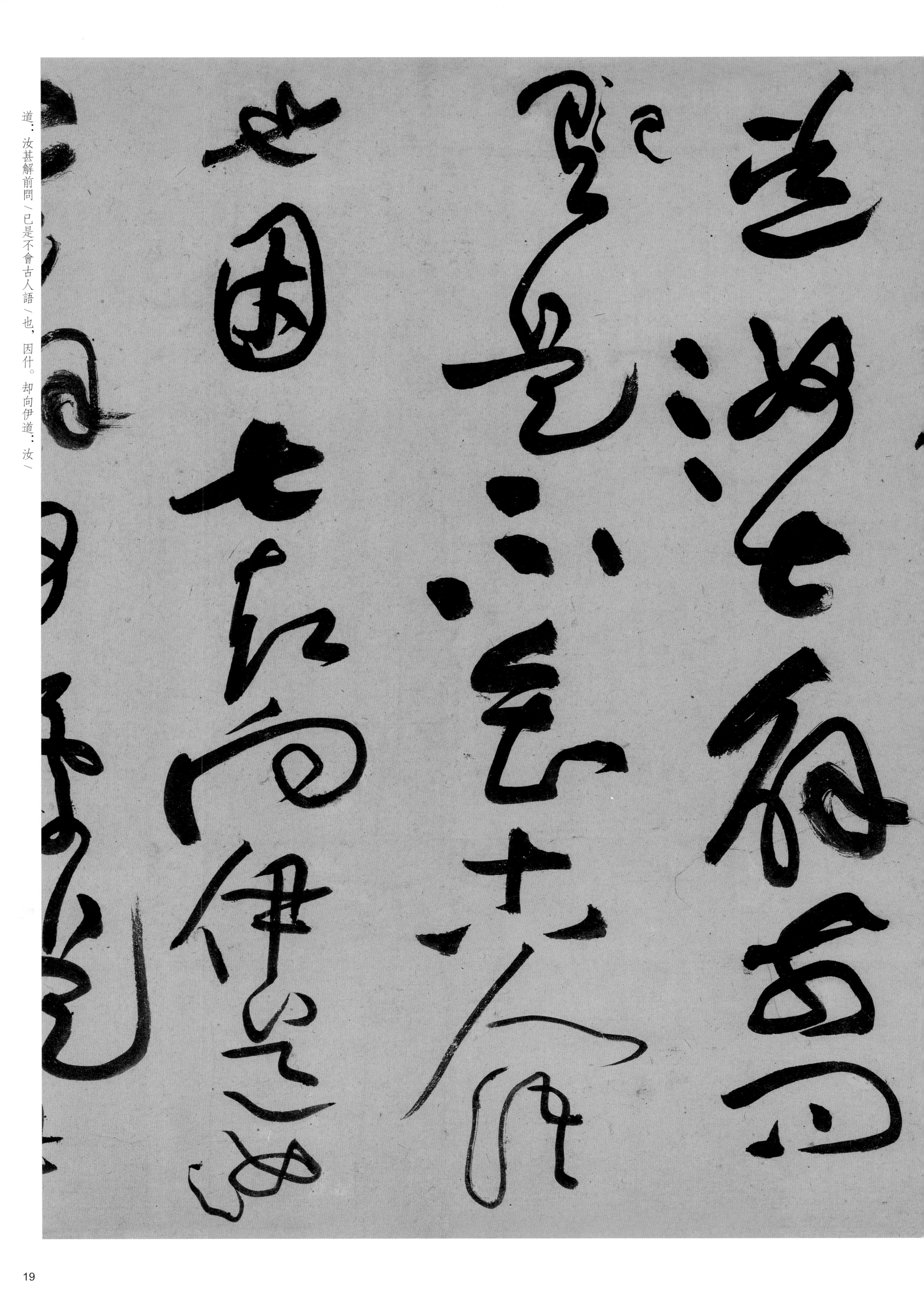

道：汝甚解前問／已是不會古人語／也，因什。却向伊道：汝／

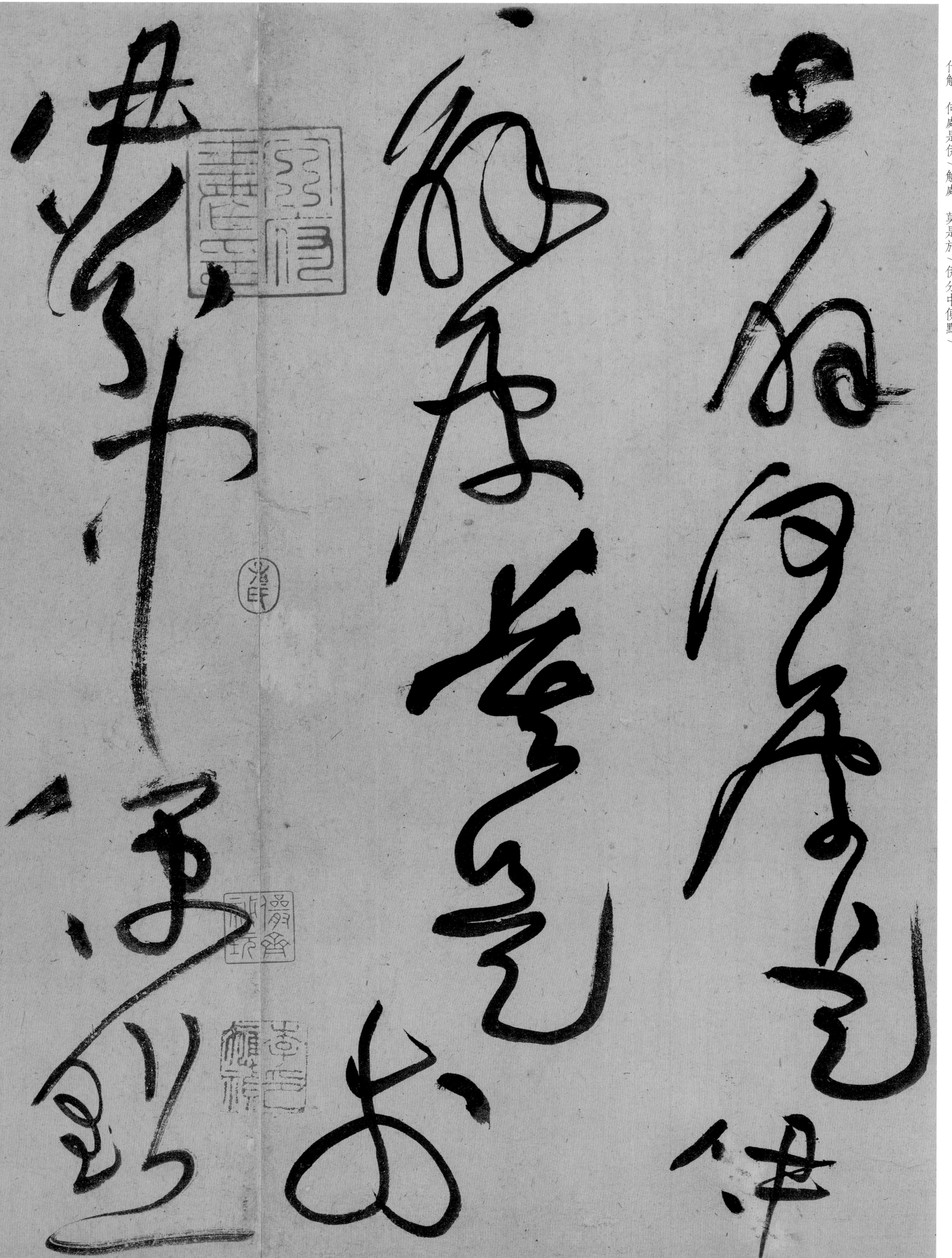

什解，何處是伊／解處，莫是於／伊分中便點／

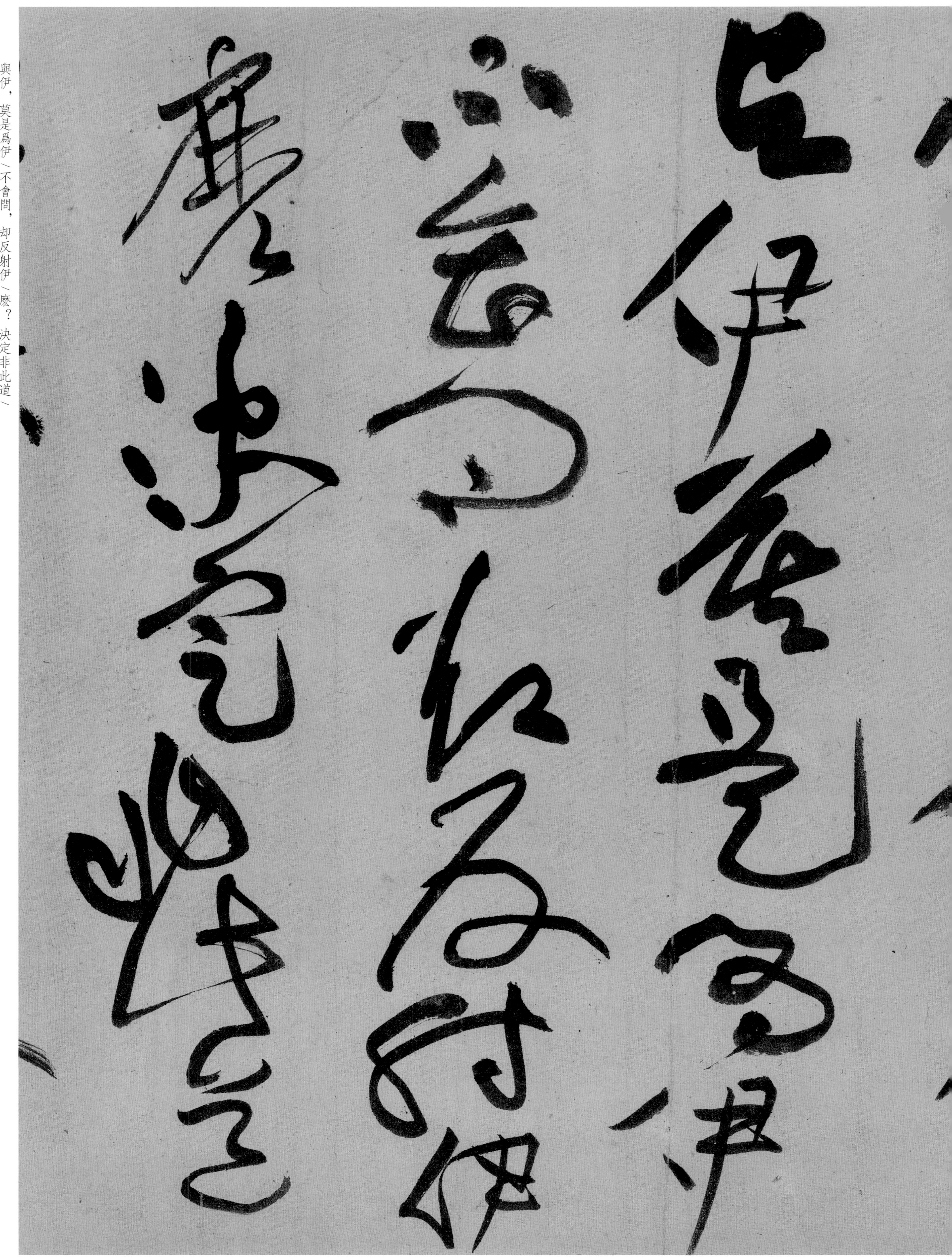

與伊，莫是爲伊／不會問，却反射伊／麼？決定非此道／

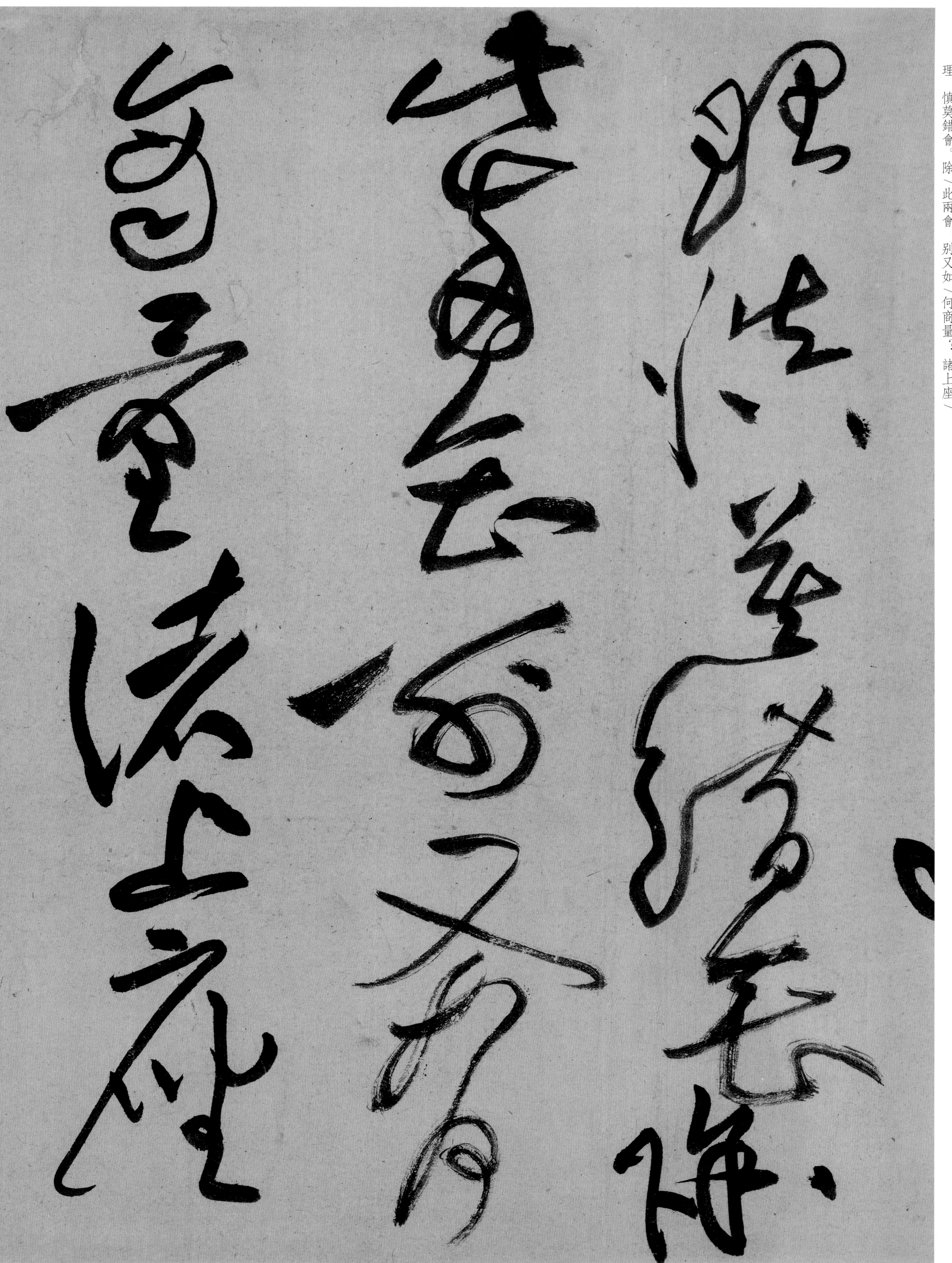

理，慎莫錯會。除／此兩會，別又如／何商量？諸上座／

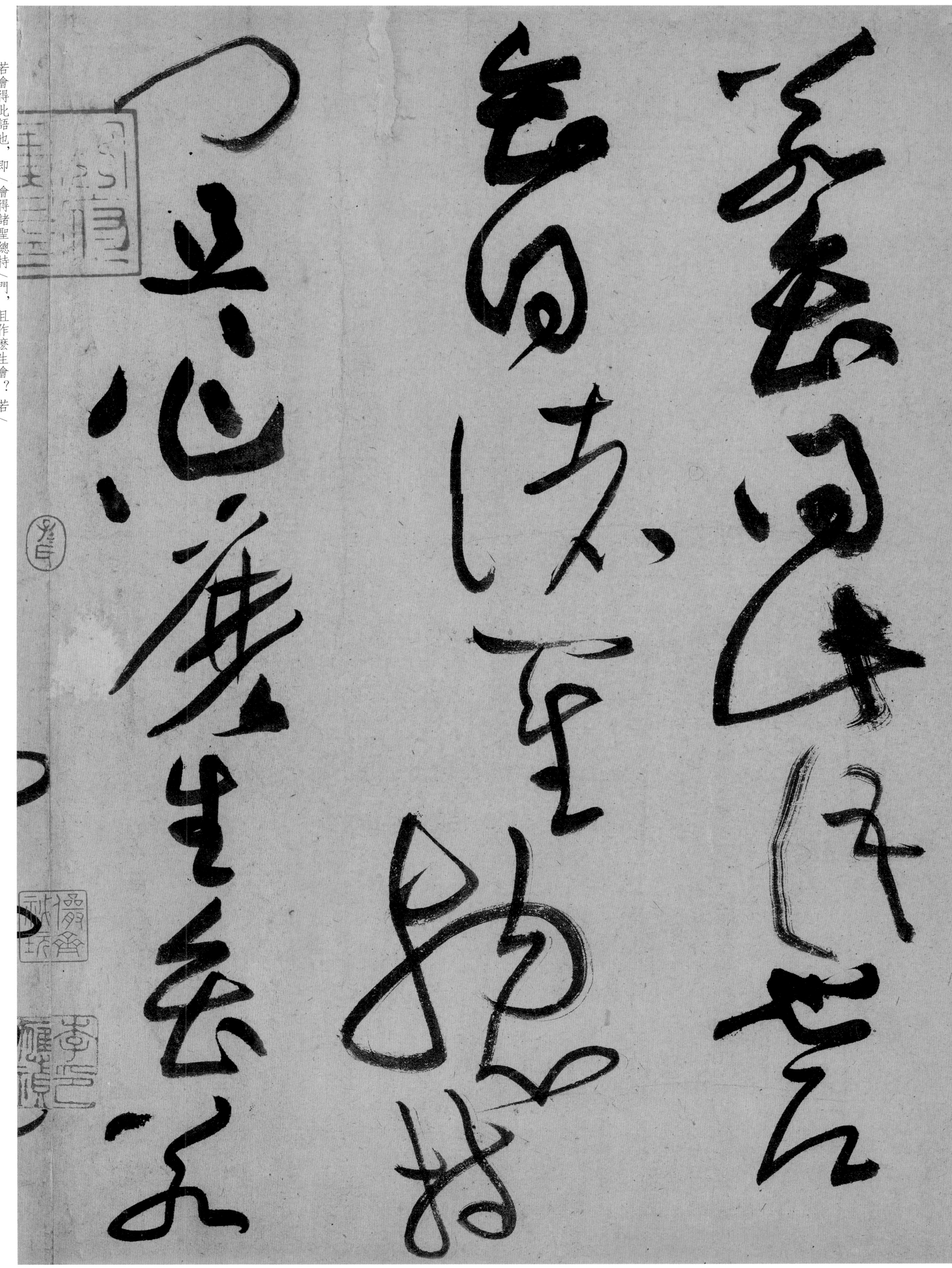

若會得此語也，即／會得諸聖總持／門，且作麽生會？若／

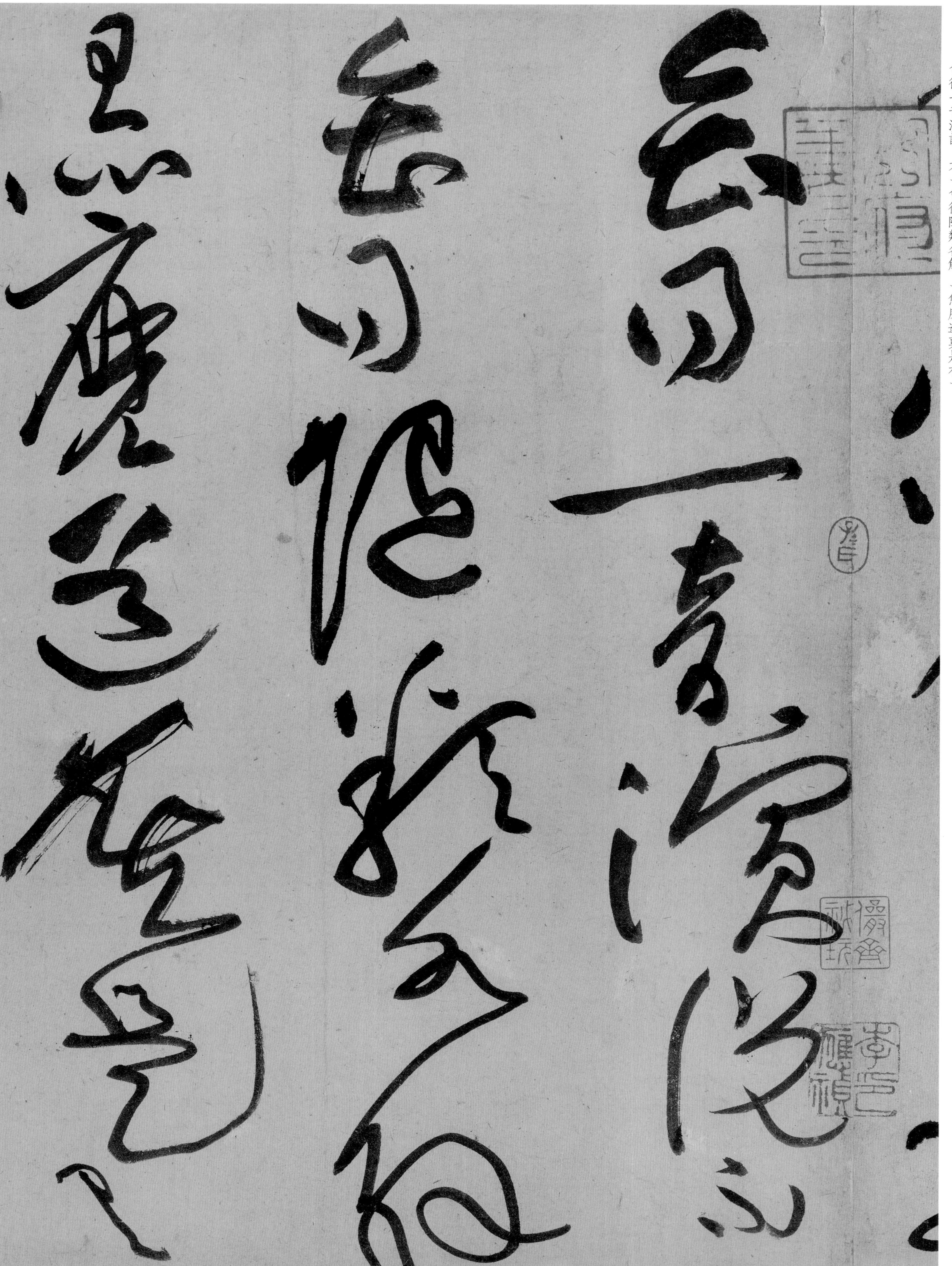

會得一音演説，不／會得隨類各解，／恁麽道莫是有／

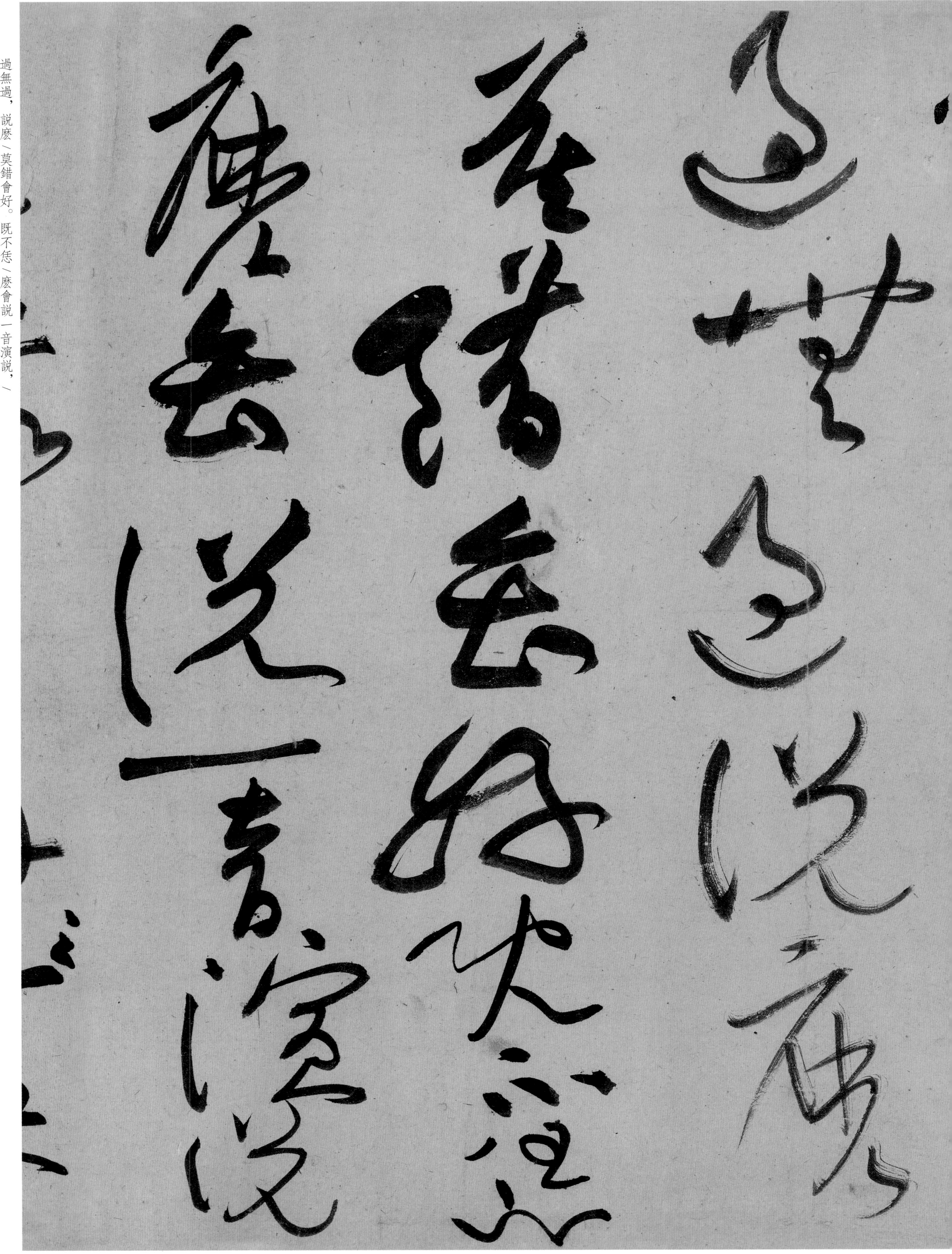

過無過，説麽／莫錯會好。既不恁／麽會説一音演説，／

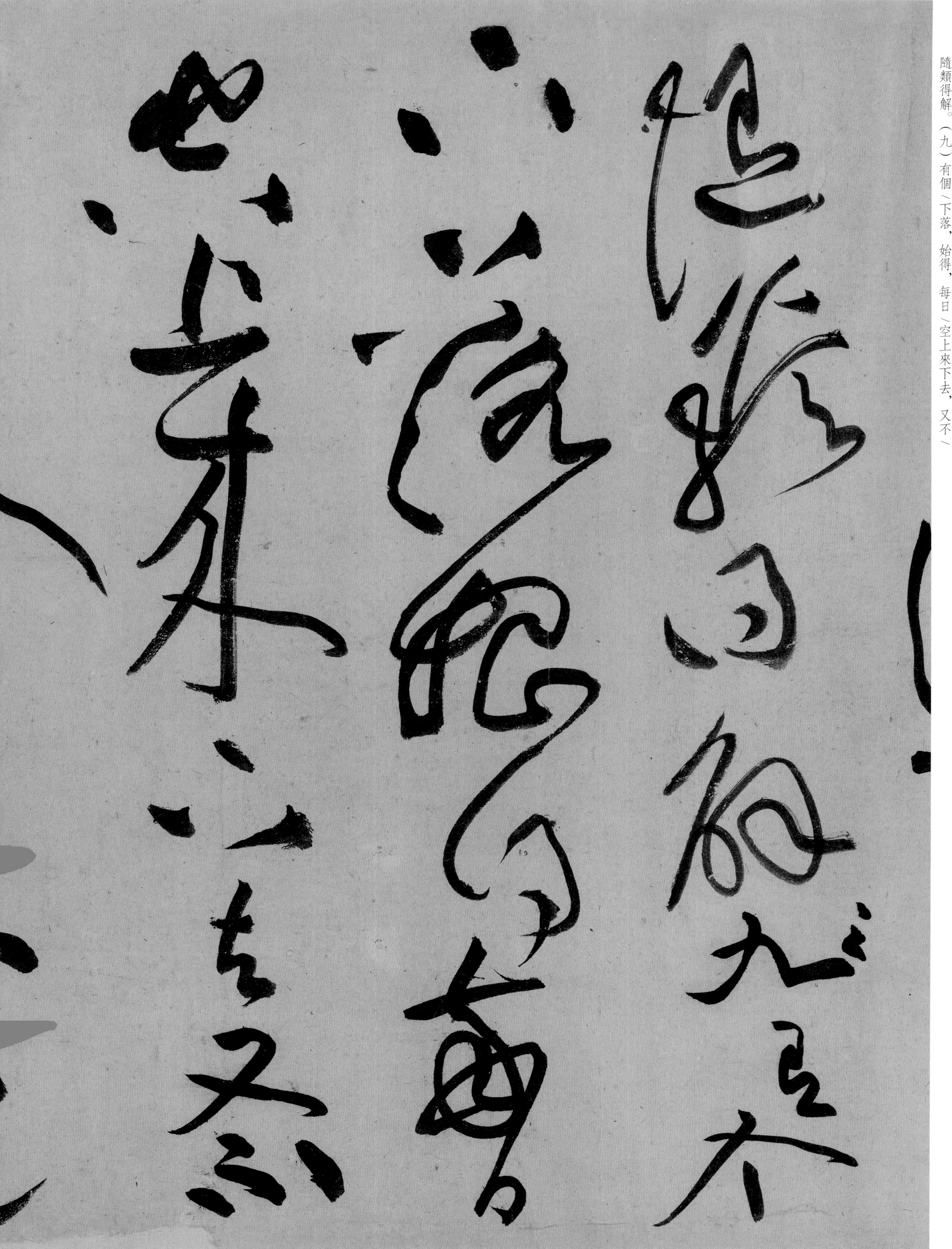

隨類得解。（九）有個〳下落，始得，每日〳空上來下去，又不〳

當得人事，且究道／眼始得。古人道一切／

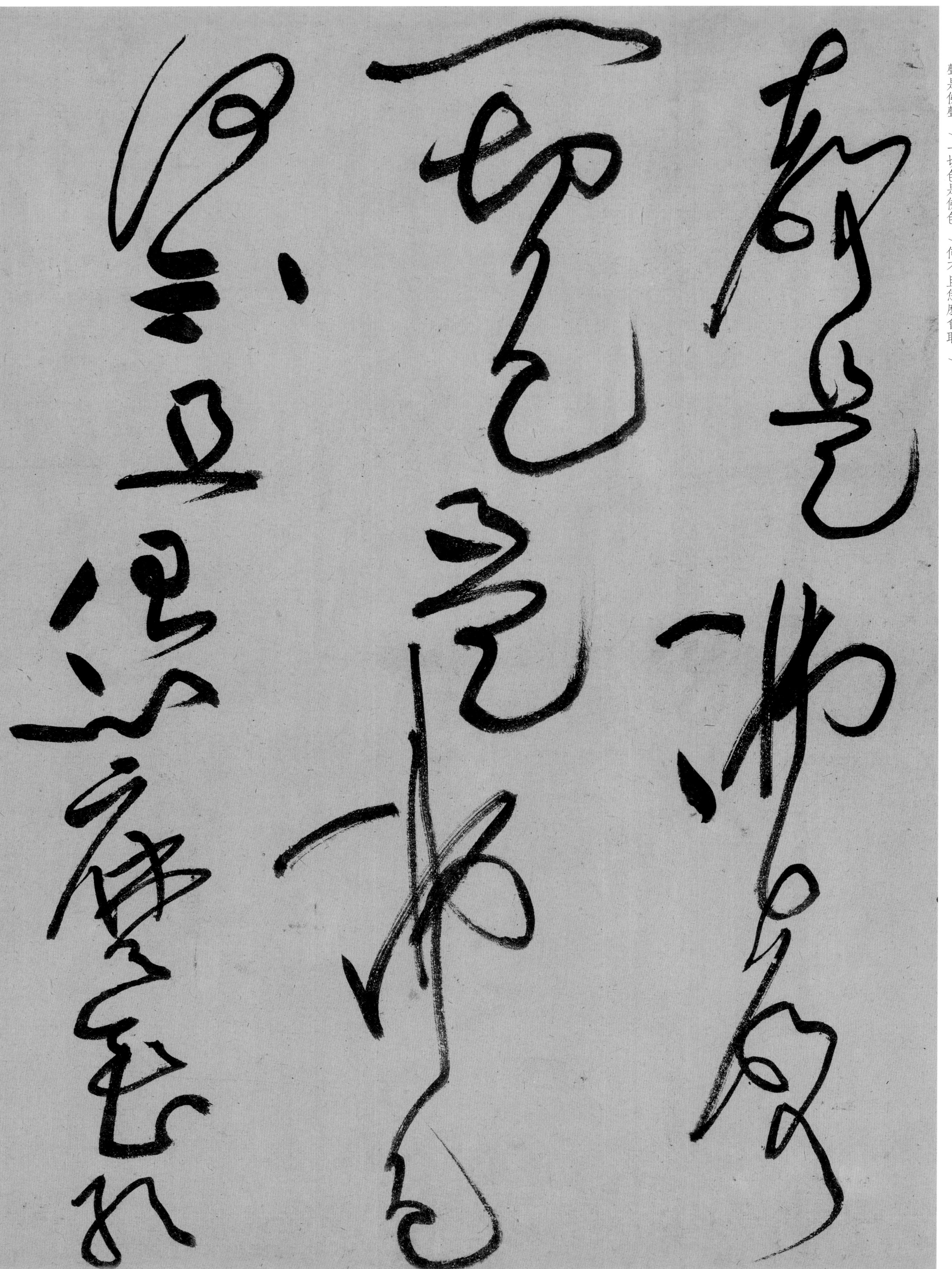

聲是佛聲，／一切色是佛色，／何不且恁麼會取。／

此是大丈夫出／生死事，不可／草草便會拍。／

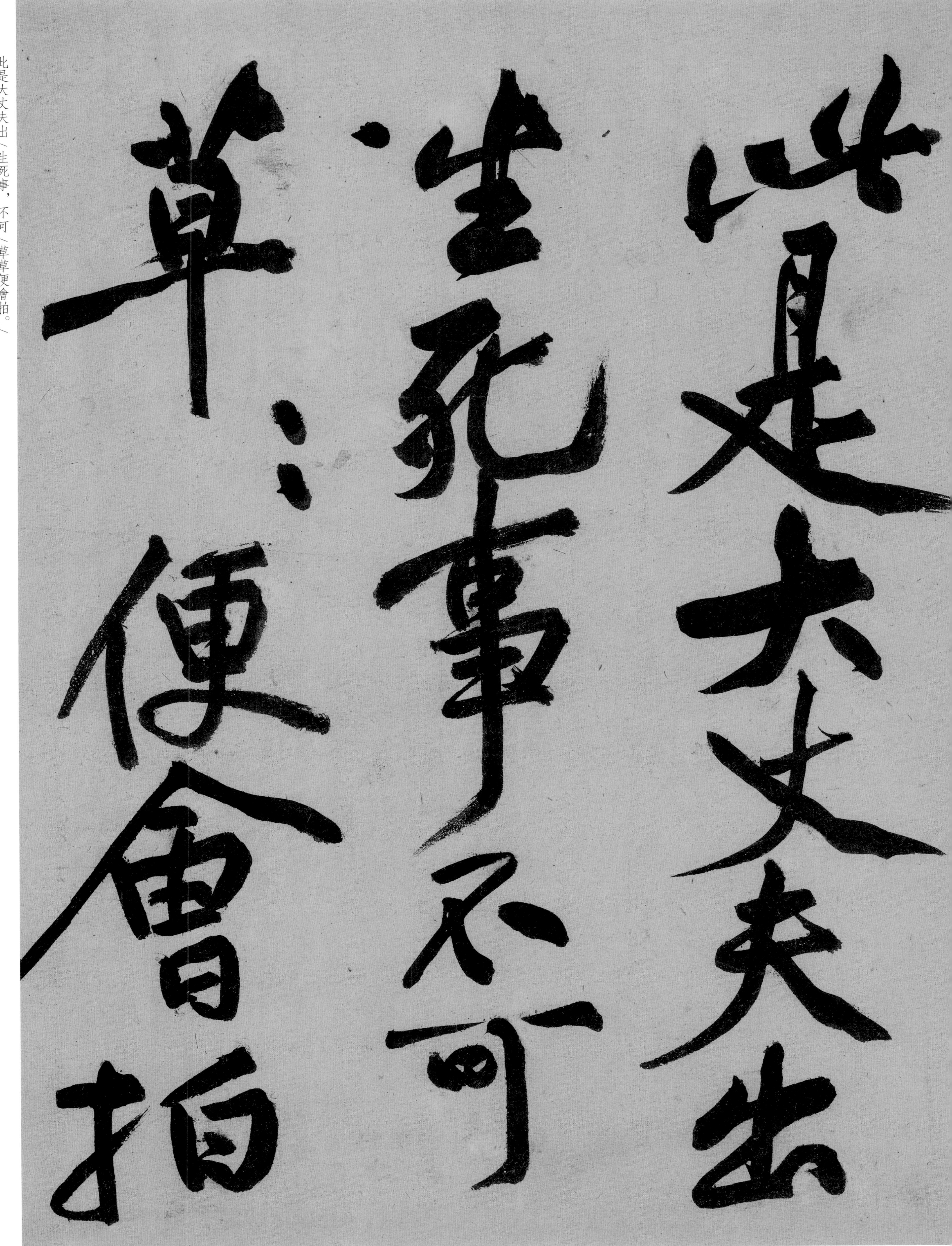

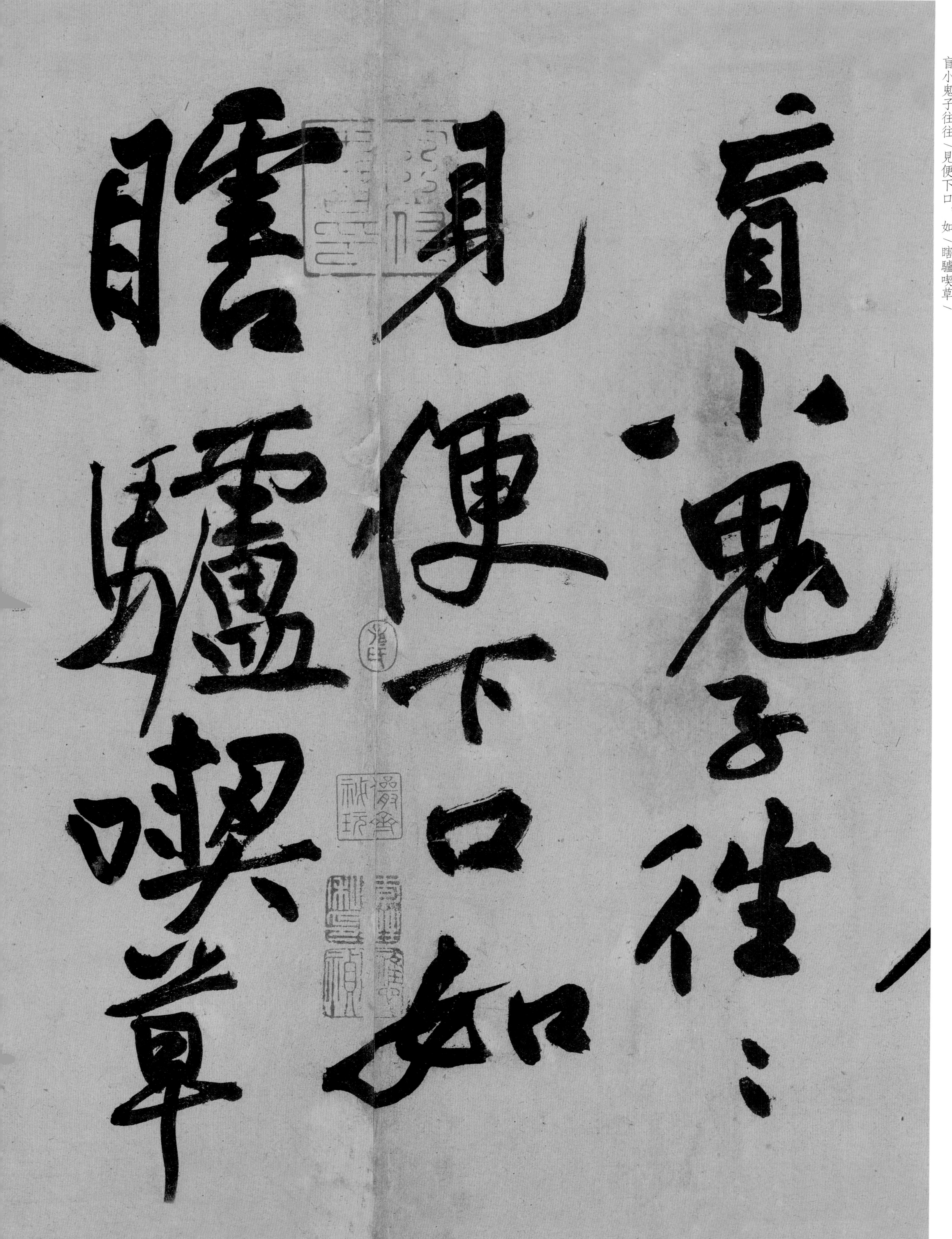

盲小鬼子往往／見便下口，如／瞎驢喫草／

樣。故草此／一篇，遺吾友／李任道。明窗／

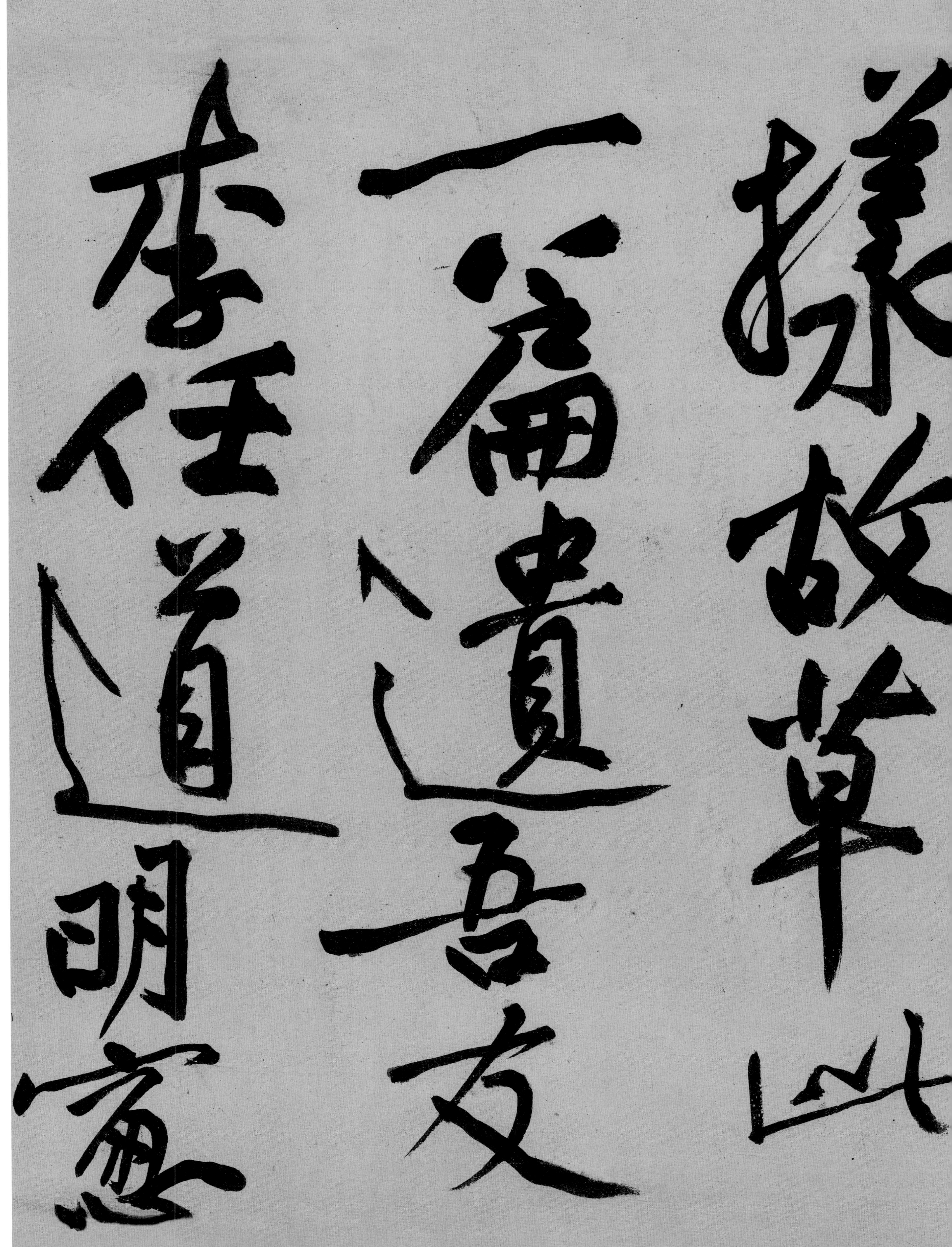

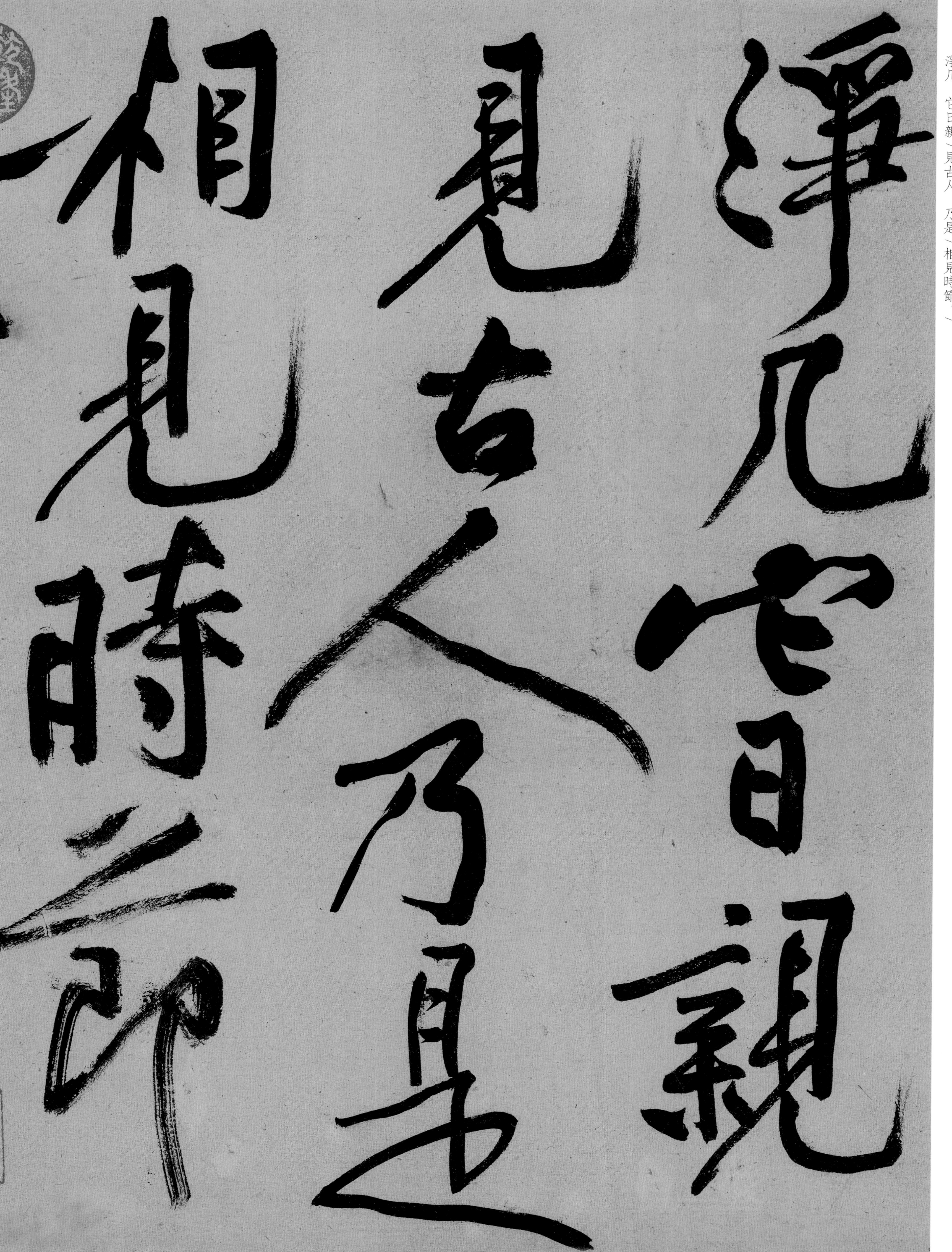

淨几，它日親／見古人，乃是／相見時節。／

山谷老人書。

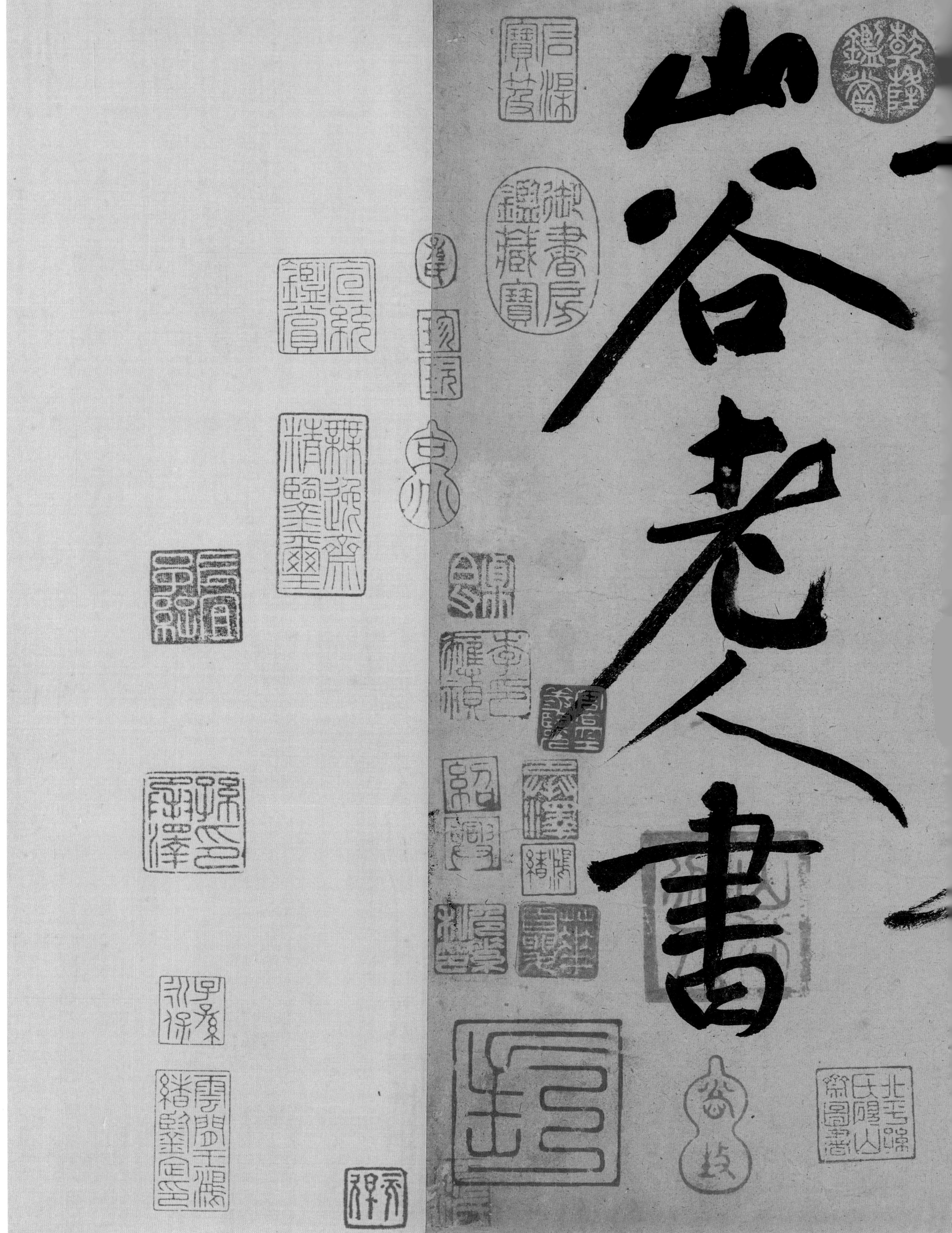

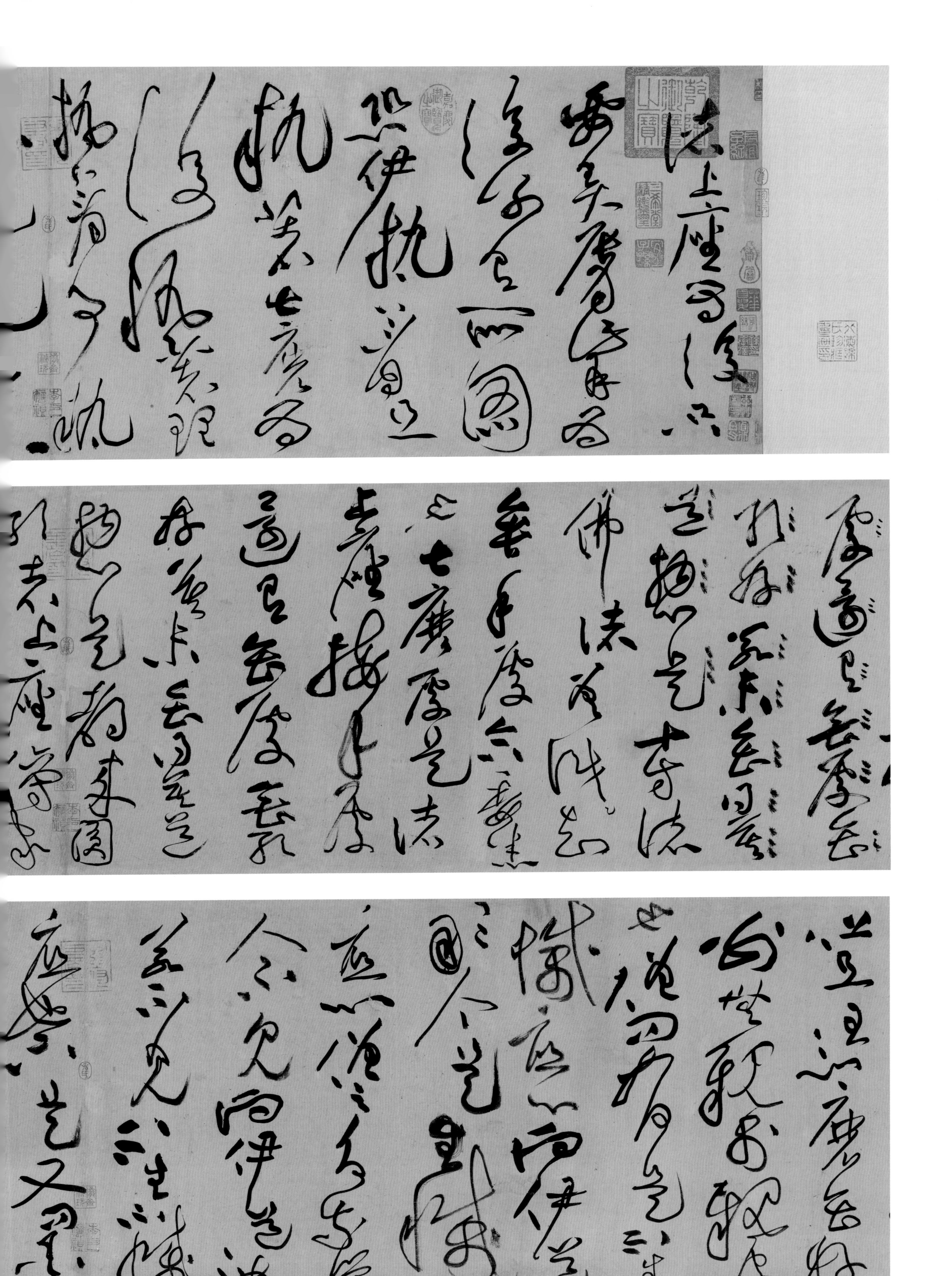

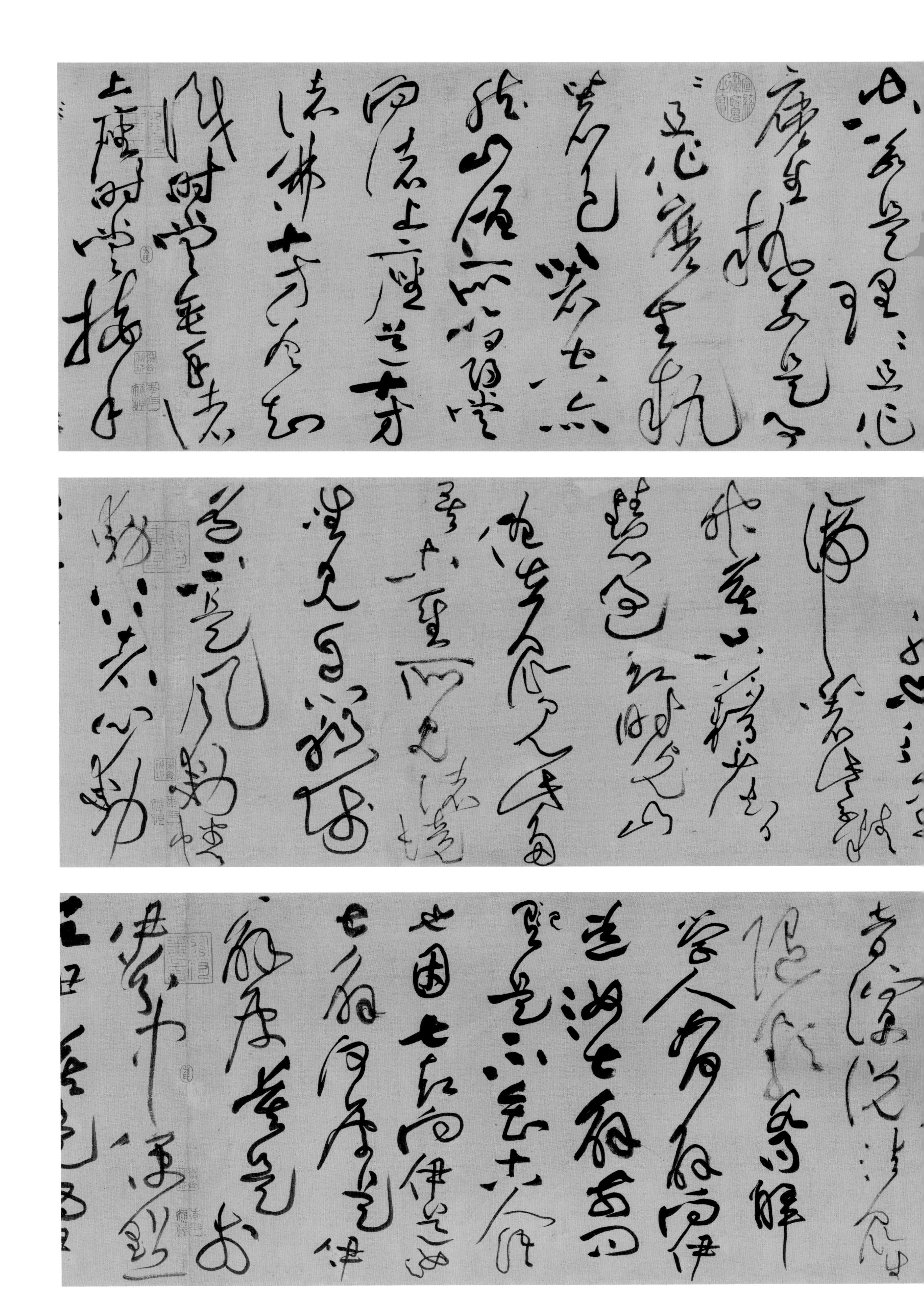

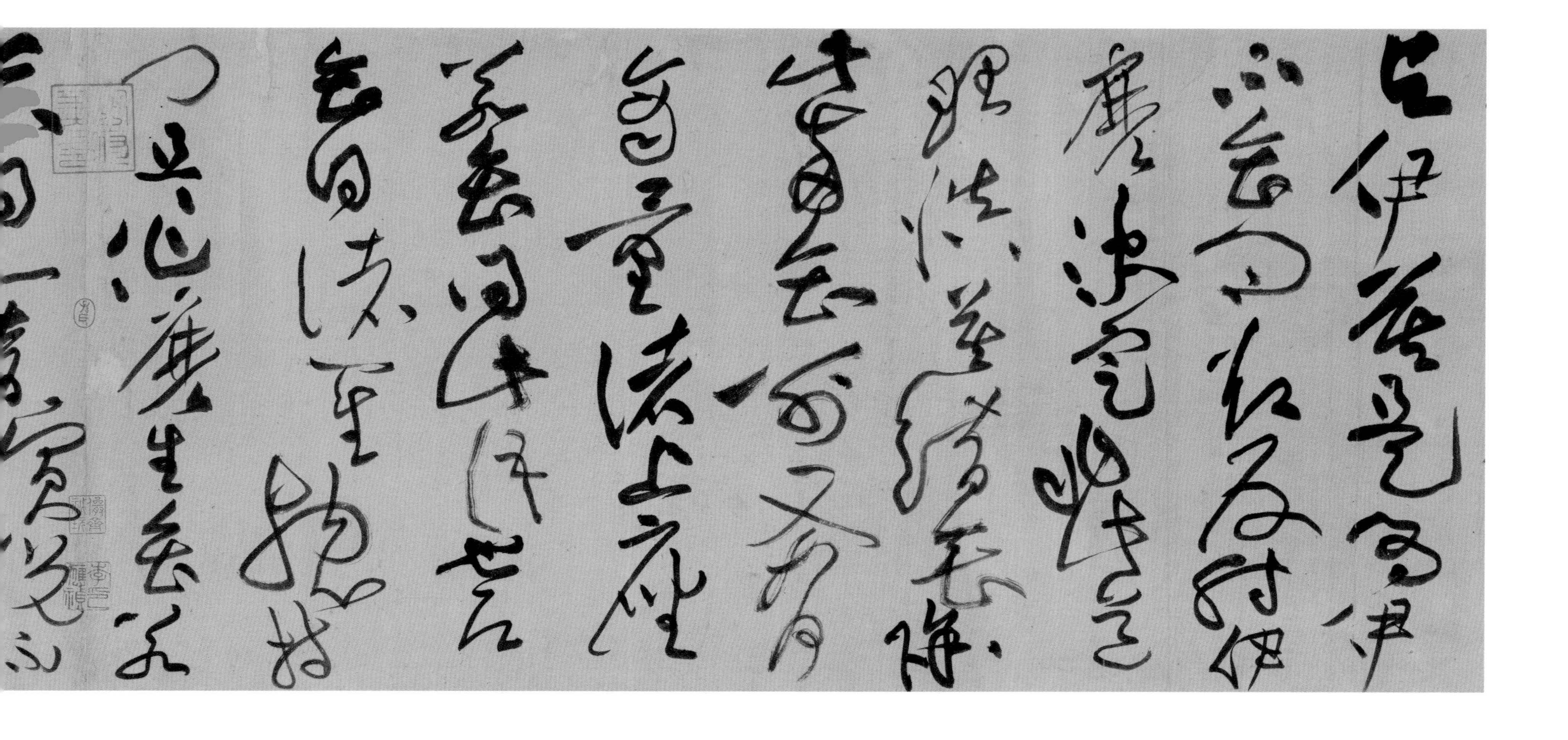

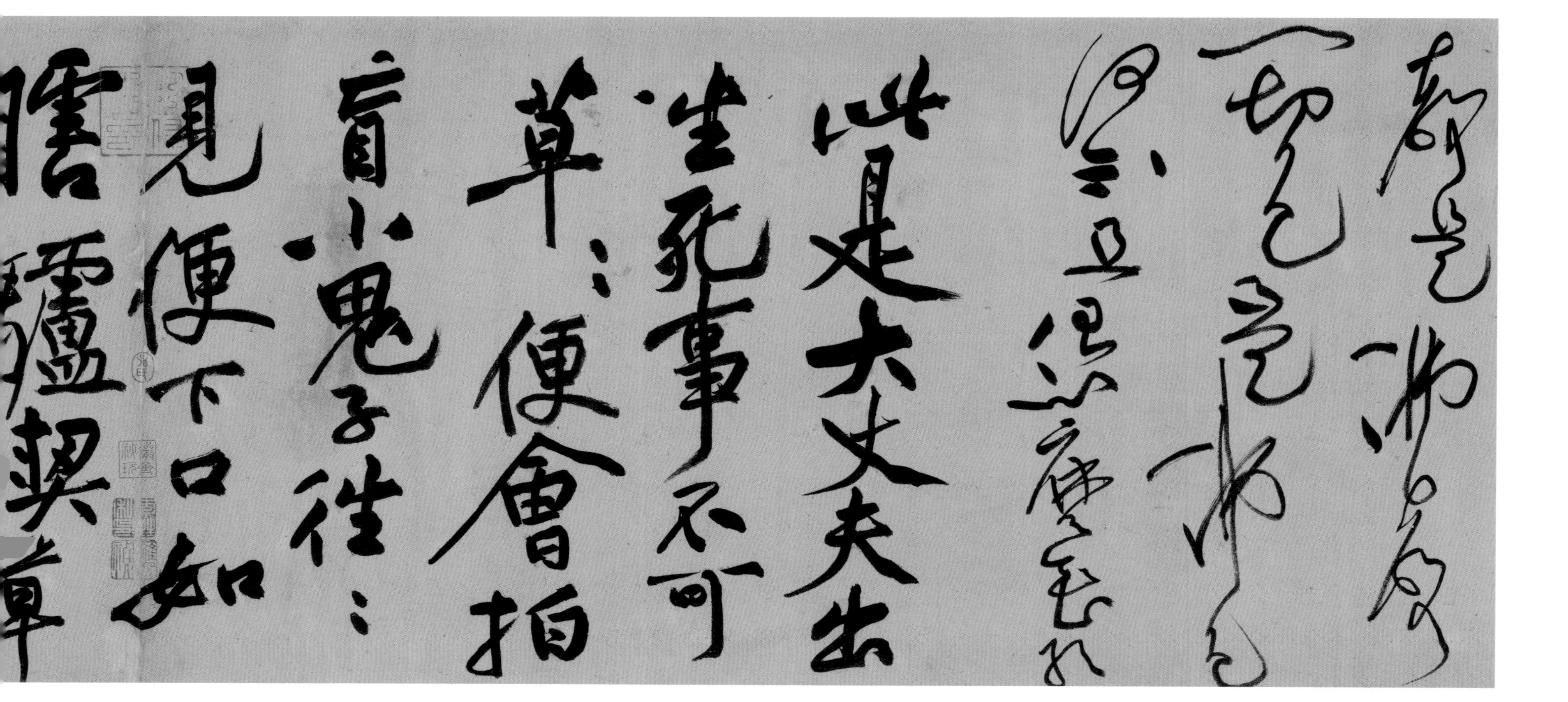